한번에 끝내는 중등 영어 독해

READING 101

LEVEL **1**

READING 101 Level 1

지은이 넥서스영어교육연구소
펴낸이 임상진
펴낸곳 (주)넥서스

출판신고 1992년 4월 3일 제311-2002-2호 ⑤
10880 경기도 파주시 지목로 5
Tel (02)330-5500 Fax (02)330-5555

ISBN 979-11-89432-09-6 54740
    979-11-89432-08-9 （SET）

www.nexusbook.com

한번에 끝내는 중등 영어 독해

READING 101

LEVEL

1

넥서스영어교육연구소 지음

NEXUS Edu

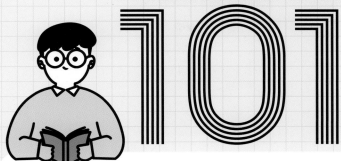

READING 101

10+1가지의 특별함

1 Diverse and Fun
여행, 과학, 역사, 인물, 사회, 환경, IT 등을
바탕으로 한 다양하고 흥미로운 이야기

2 Scholastic
독해 실력 향상은 물론, 각종 실전 대비를
위한 독해유형별 5지선다형 문제풀이

3 Open-ended
내신 대비는 물론, 영어 실력을 쌓게 하는
서술형 문제풀이

4 Authentic
우리말이 아닌 영어로 의미를 정확히 파악
하는 영영풀이 어휘 문제

5 Comprehensive
독해의 기본인 어휘력을 향상시키고 영작문
을 최종 점검하는 유닛별 Review Test

6 Native
원어민 발음으로 이야기를 생생하게 들을
수 있는 지문 녹음 제공

7 Trained
숙련된 학습자를 만들기 위한 독해의 기본,
어휘력 강화 문제 제공(Workbook)

8 Logical
글의 흐름을 논리적으로 분석하기 위한 글의
순서 및 문장 삽입 문제 제공(Workbook)

9 Available
듣기 실력 향상은 물론 독해를 마스터할 수
있는 유용한 받아쓰기 제공(Workbook)

10 Detailed
구문 풀이를 통해 핵심 문법까지 학습할 수
있는 상세한 해설지 제공

+1 Additional
모바일 단어장,
VOCA TEST, MP3 등
추가 모바일 자료 제공

MP3 듣기
모바일 단어장
VOCA TEST

FEATURES

1 다양한 독해 지문

총 10개 Unit, 30개의 지문으로 구성하였습니다. 다양한 주제의 글을 통해 재미있게 독해 학습을 할 수 있습니다. 글의 내용과 관련 있는 삽화를 통해 학교생활, 인문, 역사, 사회, 과학, 취미, 여행, IT 등 지문의 이해력을 높여줍니다.

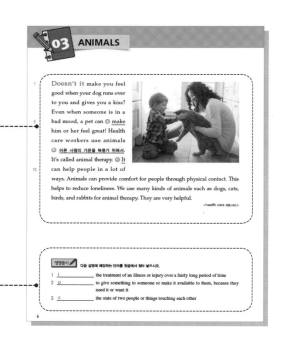

2 영영풀이

영단어의 의미를 영어로 정확히 파악하는 영영풀이 어휘 문제가 제공되어 영어식 사고력을 높여 줍니다.

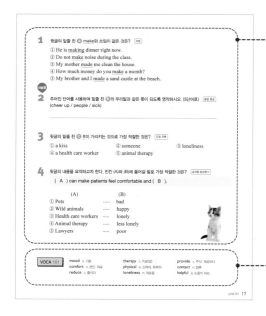

3 시험에 꼭 나오는 문제

중·고등학교 내신과 수능에 자주 출제되는 독해 문제 유형을 쏙쏙 뽑아 실전에 대비할 수 있도록 구성했습니다. 서술형 문제를 통해 다양한 시험 대비는 물론, 영어 실력의 기본기를 탄탄히 쌓을 수 있습니다.

4 VOCA 101

지문에 나온 어려운 어휘들을 다시 정리함으로써 독해력의 기본인 어휘력을 향상 시킬 수 있습니다.

Review Test

독해 지문에 쓰인 어휘의 뜻은 물론, 동의어 또는 유의어를 확인 학습할 수 있는 문제를 제공합니다. 각각의 지문에서 학습한 중요 문장들을 영작해 볼 수 있는 문제를 통해 서술형 시험에 대비할 수 있습니다.

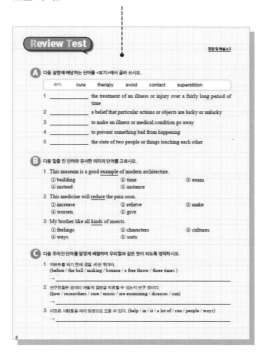

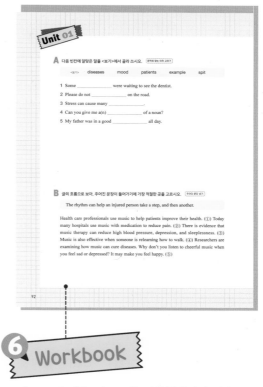

⑥ Workbook

각 Unit에 나온 지문들을 이용한 『내신+수능』에 꼭 나오는 독해 유형 문제를 추가적으로 풀어 보도록 구성했습니다. 또한, 제공되는 음원으로 본문 받아쓰기를 해 보면서 독해력은 물론 청취력까지 향상시킬 수 있습니다.

추가 제공 자료

MP3 듣기

어휘 리스트 & 테스트지

모바일 단어장 & VOCA TEST

MP3 듣기 모바일 단어장 VOCA TEST

www.nexusbook.com

CONTENTS

UNIT 01

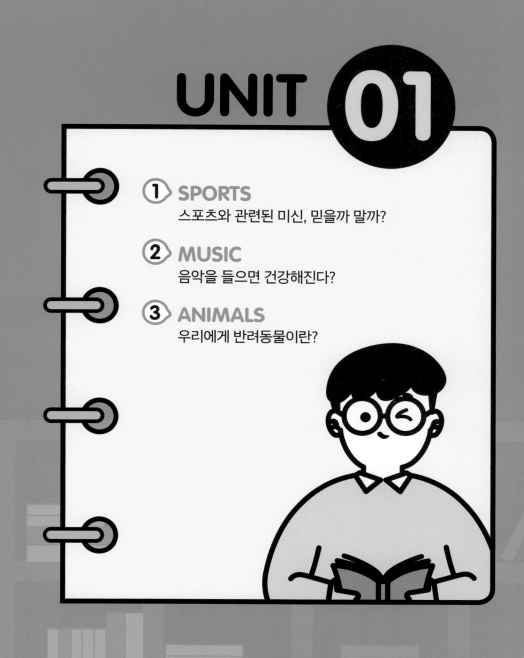

01 SPORTS

1. We all want to know what brings us good luck. This is especially true of sports players. Superstition is a part of sports. Most players ⓐ [has / have] their own ways of avoiding bad luck. ⓑ _____ , few players will wear

5. the number 13. For good luck, Michael Jordan wore his old college shorts under his Chicago Bulls uniform. Here ⓒ [is / are] some more examples. Players say that these bring them good luck.

_____(A)_____

Spit into your hands before picking up the bat.

_____(B)_____

10. Bounce the ball three times before making a free throw.

_____(C)_____

Don't tell anyone how many fish you have until you finish.

* superstition 미신
** Chicago Bulls 시카고 불스(미국 NBA 농구팀)

영영풀이 🖊 다음 설명에 해당하는 단어를 윗글에서 찾아 넣으시오.

1 s_____ a belief that particular actions or objects are lucky or unlucky
2 a_____ to prevent something bad from happening
3 u_____ a particular type of clothing worn by all the members of a group or organization such as the police, the army, etc.

1 윗글의 제목으로 가장 적절한 것은? [제목 찾기]

① College Sports
② Sports Superstitions
③ The Number Thirteen
④ Ways to Avoid Bad Luck
⑤ Three Popular Types of Sports

서술형

2 ⓐ, ⓒ의 각 괄호 안에서 어법에 맞는 표현을 골라 쓰시오. [어법]

ⓐ _____

ⓒ _____

3 윗글의 빈칸 ⓑ에 들어갈 말로 가장 적절한 것은? [빈칸 완성]

① So   ② However   ③ Therefore
④ Fortunately   ⑤ For example

서술형

4 윗글의 빈칸 (A), (B), (C)에 들어갈 스포츠를 〈보기〉에서 골라 쓰시오. [빈칸 완성]

〈보기〉	Basketball	Baseball	Fishing

(A) _____   (B) _____   (C) _____

VOCA 101	**bring** v. 가져다주다	**superstition** n. 미신	**avoid** v. 피하다
	luck n. 운, 행운	**example** n. 예	**spit** v. 침을 뱉다
	bat n. 야구방망이	**bounce** v. (공을) 튀게 하다	**free throw** 〈농구〉 자유투

02 MUSIC

1   Health care professionals use music to help patients improve their health. (A) Today many hospitals use music with medication to reduce pain. (B) There is evidence that music therapy can reduce high blood pressure, depression, and

5 sleeplessness. (C) Music is also effective when someone ⓐ <u>are</u> relearning how to walk. (D) Newborn babies can't walk. (E) The rhythm can ⓑ <u>helps</u> an injured person take a step, and then another. Researchers are examining how music can cure diseases. Why don't you listen to cheerful music when you feel sad or

10 depressed? It may make you feel happy.

영영풀이 ✐ 다음 설명에 해당하는 단어를 윗글에서 찾아 넣으시오.

1   i _____   to make something better, or to become better

2   r _____   to make something smaller or less in size, amount, or price

3   c _____   to make an illness or medical condition go

1 윗글의 제목으로 가장 적절한 것은? [제목 찾기]

① A List of My Favorite Music
② How to Listen to Music
③ Music to Cure Illness
④ Hospitals and Patients
⑤ A List of Music for Sleeplessness

2 윗글의 (A)~(E) 중, 전체 흐름과 관계 <u>없는</u> 문장은? [무관한 문장 찾기]

① (A)   ② (B)   ③ (C)   ④ (D)   ⑤ (E)

3 다음 중 음악 치료의 효과가 있다고 언급된 것이 <u>아닌</u> 것은? [내용 불일치]

① 통증   ② 암   ② 고혈압   ④ 불면증   ⑤ 우울증

4 윗글의 밑줄 친 ⓐ, ⓑ 를 어법에 맞게 고쳐 쓰시오. [어법]

ⓐ _____

ⓑ _____

VOCA 101		
professional n. 전문가	**patient** n. 환자	**improve** v. 개선하다
medication n. 약, 약물치료	**reduce** v. 줄이다	**pain** n. 통증
evidence n. 증거	**depression** n. 우울증	**effective** a. 효과적인
examine v. 검토하다, 관찰하다	**disease** n. 질병	

03 ANIMALS

1   Doesn't it make you feel good when your dog runs over to you and gives you a kiss? Even when someone is in a

5   bad mood, a pet can ⓐ <u>make</u> him or her feel great! Health care workers use animals ⓑ 아픈 사람의 기운을 북돋기 위해서. It's called animal therapy. ⓒ <u>It</u>

10   can help people in a lot of ways. Animals can provide comfort for people through physical contact. This helps to reduce loneliness. We use many kinds of animals such as dogs, cats, birds, and rabbits for animal therapy. They are very helpful.

*health care 의료서비스

영영풀이 다음 설명에 해당하는 단어를 윗글에서 찾아 넣으시오.

1   t _____   the treatment of an illness or injury over a fairly long period of time

2   p _____   to give something to someone or make it available to them because they need it or want it

3   c _____   the state of two people or things touching each other

1 윗글의 밑줄 친 ⓐ make와 쓰임이 같은 것은? 〔어법〕

① He is making dinner right now.
② Do not make noise during the class.
③ My mother made me clean the house.
④ How much money do you make a month?
⑤ My brother and I made a sand castle at the beach.

2 주어진 단어를 사용하여 밑줄 친 ⓑ의 우리말과 같은 뜻이 되도록 영작하시오. (5단어) 〔문장 완성〕
(cheer up / people / sick)

_____

3 윗글의 밑줄 친 ⓒ It이 가리키는 것으로 가장 적절한 것은? 〔지칭 추론〕

① a kiss   ② someone   ③ loneliness
④ a health care worker ⑤ animal therapy

4 윗글의 내용을 요약하고자 한다. 빈칸 (A)와 (B)에 들어갈 말로 가장 적절한 것은? 〔요약문 완성하기〕

(A) can make patients feel comfortable and (B).

	(A)		(B)
①	Pets	.....	bad
②	Wild animals	.....	happy
③	Health care workers	.....	lonely
④	Animal therapy	.....	less lonely
⑤	Lawyers	.....	poor

VOCA 101

mood n. 기분
comfort n. 편안, 위로
reduce v. 줄이다

therapy n. 치료(법)
physical a. 신체의, 육체의
loneliness n. 외로움

provide v. 주다, 제공하다
contact n. 접촉
helpful a. 도움이 되는

A 다음 설명에 해당하는 단어를 <보기>에서 골라 쓰시오.

| 〈보기〉 | cure | therapy | avoid | contact | superstition |

1 _____ the treatment of an illness or injury over a fairly long period of time

2 _____ a belief that particular actions or objects are lucky or unlucky

3 _____ to make an illness or medical condition go away

4 _____ to prevent something bad from happening

5 _____ the state of two people or things touching each other

B 다음 밑줄 친 단어와 유사한 의미의 단어를 고르시오.

1 This museum is a good <u>example</u> of modern architecture.
　① building　　　　② time　　　　③ exam
　④ instead　　　　⑤ instance

2 This medicine will <u>reduce</u> the pain soon.
　① increase　　　　② relieve　　　　③ make
　④ worsen　　　　⑤ give

3 My brother likes all <u>kinds</u> of insects.
　① feelings　　　　② characters　　　　③ cultures
　④ ways　　　　⑤ sorts

C 다음 주어진 단어를 알맞게 배열하여 우리말과 같은 뜻이 되도록 영작하시오.

1 자유투를 하기 전에 공을 세 번 튀겨라.
(before / the ball / making / bounce / a free throw / three times)
　→ _____

2 연구원들은 음악이 어떻게 질병을 치료할 수 있는지 연구 중이다.
(how / researchers / cure / music / are examining / diseases / can)
　→ _____

3 그것은 사람들을 여러 방면으로 도울 수 있다. (help / in / it / a lot of / can / people / ways)
　→ _____

18

UNIT 02

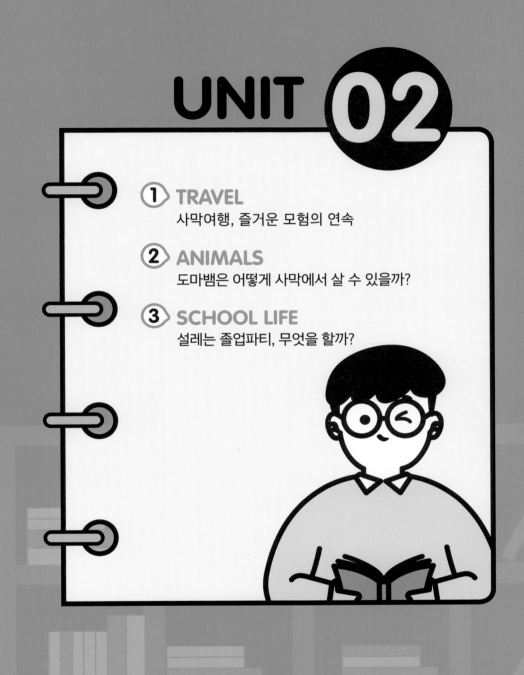

1   Do you want _____(take)_____ a trip to a desert? It would be an exciting adventure! But you have to remember a few things when you travel to a desert. (A) First of all, always make sure that you take enough water with you. (B) Drink at least one or two gallons of water per day. (C) It will be very hot and dry during the day. (D) Also, wear a hat to protect your face from the sun. (E) So make sure that you bring enough warm clothes and wear them when you sleep. Finally, wear good hiking boots. You don't want to get blisters on your _____!

* gallon 〈단위〉갤런(약 3.79리터)

** blister 물집, 수포

영영풀이 다음 설명에 해당하는 단어를 윗글에서 찾아 넣으시오.

1 d_____   a large, hot, dry area of land with very few plants

2 a_____   an exciting experience in which dangerous or unusual things happen

3 p_____   to keep someone or something safe from harm, damage, or illness

1 윗글의 요지로 가장 적절한 것은? 요지 찾기

① 사막은 일교차가 매우 크다.
② 물을 충분히 마시는 것은 건강에 좋다.
③ 사막을 여행하는 것은 신나는 모험의 연속이다.
④ 사막을 여행할 때는 여러 가지 상황에 대비해야 한다.
⑤ 태양으로부터 피부를 보호하기 위해서 모자를 써야 한다.

2 윗글 괄호 안의 동사(take)를 알맞은 형태로 고쳐 쓰시오. 어법

_____

3 글의 흐름으로 보아, 주어진 문장이 들어가기에 가장 적절한 곳은? 주어진 문장 넣기

However, it gets very cold at night.

① (A)　　② (B)　　③ (C)　　④ (D)　　⑤ (E)

4 윗글의 빈칸에 들어갈 말로 가장 적절한 것은? 빈칸 완성

① feet　　② arms　　③ head
④ hands　　⑤ stomach

VOCA 101

desert n. 사막
make sure 꼭 ~하다, 확인하다
per prep. 각, ~마다
hiking n. 하이킹, 도보 여행

adventure n. 모험
enough a. 충분한
dry a. 건조한, 메마른
boot n. 〈주로 복수형〉 부츠, 장화

remember v. 기억하다
at least 적어도
protect v. 보호하다

02 ANIMALS

1   It's hard to imagine how anything can survive in the desert. (A) Food and water can be very hard to find in the desert. (B) The heat during the day is so strong, and at night you can feel cold. (C) For instance, many different types of snakes and lizards thrive in the hot weather. (D) They can survive because they are cold-blooded. (E) Lizards absorb heat from the sun through their skin. Then, they change the heat into energy and store it in their bodies. _____, lizards can survive for a long time without food.

*cold-blooded 냉혈의

영영풀이 다음 설명에 해당하는 단어를 윗글에서 찾아 넣으시오.

1   t_____   to become very successful or very strong and healthy
2   s_____   to continue to live in spite of many problems
3   s_____   to put things away and keep them until you need them

1 윗글의 제목으로 가장 적절한 것은? 제목 찾기

① Cold-blooded Animals
② Famous Pictures of Lizards
③ Animals Living in the Desert
④ How to Change Heat to Energy
⑤ The Reason Animals Can't Survive in the Desert

2 글의 흐름으로 보아, 주어진 문장이 들어가기에 가장 적절한 곳은? 주어진 문장 넣기

However, it's also true that many animals and plants feel at home in the desert.

① (A)   ② (B)   ③ (C)   ④ (D)   ⑤ (E)

3 윗글의 빈칸에 들어갈 말로 가장 적절한 것은? 빈칸 완성

① First of all   ② However   ③ In spite of
④ As a result   ⑤ Unfortunately

4 뱀과 도마뱀이 사막에서 생존할 수 있는 이유를 우리말로 쓰시오. 이유 찾기

_____

_____

VOCA 101

imagine v. 상상하다
lizard n. 도마뱀
absorb v. 흡수하다
body n. 몸, 신체

survive v. 살아남다, 생존하다
thrive v. 성장하다, 잘 자라다
skin n. 피부

desert n. 사막
weather n. 날씨
store v. 저장하다

There are many school events during the year. In the United States, prom is a major event for high school students. They get together to have dinner and dance. Boys usually wear black or white suits, and girls wear dresses. Girls also wear a corsage on their wrist. Generally, their partners give <u>it</u> to them. Students usually rent their prom dresses from specialized shops. Sometimes a group of friends rents a limousine to go to the prom. The prom is not only an exciting event, but also an unforgettable _____. Many students look forward to it. Some countries also hold an event similar to prom for high school students.

*corsage 코사지, 꽃 장식

영영풀이 다음 설명에 해당하는 단어를 윗글에서 찾아 넣으시오.

1 s_____   almost the same

2 r_____   to pay money for the use of something for a short period of time

3 m_____   very large or important, when compared to other things or people of a similar kind

1 졸업파티(prom)에 관한 내용과 일치하지 <u>않는</u> 것은? [내용 불일치]

① 남학생들은 정장을 입는다.

② 고등학생들을 위한 행사이다.

③ 학생들은 이 행사에 입을 옷을 구입한다.

④ 많은 학생들이 이 행사에 참여하기를 고대한다.

⑤ 여학생들은 손목에 꽃 장식을 착용하기도 한다.

2 밑줄 친 <u>it</u>이 가리키는 것이 무엇인지 윗글에서 찾아 쓰시오. [지칭 추론]

_____

3 윗글의 빈칸에 들어갈 말로 문맥 상 가장 적절한 것은? [빈칸 완성]

① dress ② friend ③ memory ④ meal ⑤ picture

4 윗글 다음에 이어질 수 있는 내용으로 가장 적절한 것은? [내용 유추]

① 졸업파티의 준비 과정

② 졸업파티의 장점과 단점

③ 학창 시절의 다양한 행사의 예

④ 전통적인 졸업파티와 현재 졸업파티의 차이점

⑤ 미국의 졸업파티와 비슷한 다른 나라의 졸업파티

VOCA 101			
get together 모이다	**suit** n. 정장	**wrist** n. 손목
generally ad. 일반적으로	**rent** v. 빌리다	**limousine** n. 리무진
unforgettable a. 잊을 수 없는	**country** n. 국가, 나라	**hold** v. 열다, 개최하다
similar a. 비슷한		

A 다음 설명에 해당하는 단어를 <보기>에서 골라 쓰시오.

> 〈보기〉　protect　store　rent　survive　adventure

1 _____ to pay money for the use of something for a short period of time

2 _____ an exciting experience in which dangerous or unusual things happen

3 _____ to continue to live in spite of many problems

4 _____ to put things away and keep them until you need them

5 _____ to keep someone or something safe from harm, damage, or illness

B 다음 밑줄 친 단어와 유사한 의미의 단어나 표현을 고르시오.

1 I <u>took a trip</u> to Australia last week.
　① traveled　　　② dived　　　③ spent
　④ came back　　⑤ lived

2 An old apple tree continues to <u>thrive</u> in the front yard.
　① die　　　　② grow well　　③ talk
　④ be sick　　⑤ stop growing

3 My old friends and I <u>got together</u> for dinner.
　① fought　　② bought　　③ talked
　④ met　　　⑤ walked

C 다음 주어진 단어를 알맞게 배열하여 우리말과 같은 뜻이 되도록 영작하시오.

1 낮에는 매우 덥고 건조할 것이다. (hot / during / it / the day / dry / be / very / will / and)
　→ _____

2 사막에서는 음식과 물을 찾기 매우 어려울 수 있다.
　(to / in the desert / very / food / find / can / water / be / and / hard)
　→ _____

3 졸업파티는 흥미진진한 행사일 뿐만 아니라 잊지 못할 추억이기도 하다.
　(not only / but also / the prom / unforgettable / an / an / memory / event / exciting / is)
　→ _____

UNIT 03

01 FUN & GAMES

1   A flash mob is a group of people who gather suddenly in a public place, **ⓐ** <u>do</u> something unusual, and then disperse, fleeing quickly. The term "flash mob" comes from "flash crowd" and "smart mob." "Flash crowd" means a great number of users **ⓑ** <u>attempting</u> to access a web site at the same time. "Smart

5   mob" means a leaderless gathering that is organized using technologies such as cellphones, e-mail, and the web. The flash mob phenomenon **ⓒ** <u>began</u> in early 2003 in New York City. People organized the "Mob Project." However, this first flash mob never took place **ⓓ** <u>because of</u> police sent many officers to the place and stopped people doing it. After another couple of tries, a flash mob was

10   finally successful in New York. Flash mobs **ⓔ** <u>quickly</u> spread throughout the world to Asia, Latin America, Australia, and Europe.

영영풀이 ✏️ 다음 설명에 해당하는 단어를 윗글에서 찾아 넣으시오.

1 <u>f</u>   to leave somewhere very quickly, in order to escape from danger

2 <u>a</u>   to find information, especially on a computer

3 <u>p</u>   something that happens or exists in society, science, or nature, especially something that is studied because it is difficult to understand

1 윗글의 밑줄 친 ⓐ ~ ⓔ 중 어법상 **틀린** 것은? 어법

① ⓐ   ② ⓑ   ③ ⓒ   ④ ⓓ   ⑤ ⓔ

서술형

[2~3] 윗글을 읽고 다음 빈칸에 알맞은 내용을 찾아 써넣으시오. 문장 완성

2 The term 'flash mob' is a combination of _____ and _____.

3 Flash mobs are organized using technologies such as _____, _____, and _____.

4 윗글의 내용과 일치하지 **않는** 것은? 내용 불일치

① Flash mob successfully spread throughout the world.
② Flash mob is formed through only one electronic medium.
③ The flash mob phenomenon first began in New York in early 2003.
④ The first flash mob couldn't take place because of many police officers.
⑤ A flash mob is a sudden gathering of people doing something unusual and then fleeing away.

VOCA 101		
unusual a. 특이한	disperse v. 흩어지다	flee v. 도망치다
attempt v. 시도하다	gathering n. 모임	organize v. 조직하다
phenomenon n. 현상	finally ad. 마침내	successful a. 성공한

02 MUSIC

1   Hip hop is a style of music. It began in African American communities of New York City during the early 1970's. The origins of this type of music developed from several other genres of music. ⓐ They include disco, reggae, funk,

5   ⓑ 기타 등등. Hip hop artists mix rhymes over rhythmic beats to create their songs. Hip hop music is now very popular among young people all over the world. But hip hop culture has influenced more than just music. We can see its impact on the fashion industry, the art world, and even modern dance.

영영풀이 다음 설명에 해당하는 단어를 윗글에서 찾아 넣으시오.

1   o _____   the place or situation in which something begins to exist
2   d _____   to grow or change into something bigger, stronger, or more advanced
3   i _____   the effect or influence that an event, situation, etc. has on someone or something

1 윗글의 내용과 일치하지 <u>않는</u> 것은? [내용 불일치]

① 힙합은 전 세계적으로 인기 있다.

② 힙합은 1970년대 초에 시작되었다.

③ 힙합은 다양한 분야에 영향을 끼친다.

④ 디스코와 레게는 힙합의 영향을 받았다.

⑤ 힙합은 아프리카계 미국인 공동체에서 시작된 음악이다.

2 윗글의 밑줄 친 ⓐ They가 가리키는 것으로 가장 적절한 것은? [지칭 추론]

① hip hop artists

② rhythmic beats

③ several other genres of music

④ African American communities

⑤ the origins of African music

3 주어진 단어를 배열하여 밑줄 친 우리말 ⓑ와 같은 뜻이 되도록 영작하시오. (so / and / on) [문장 완성]

_____

4 음악 이외에 힙합의 영향을 받은 분야를 윗글에서 모두 찾아 영어로 쓰시오. [세부 사항]

_____

VOCA 101		
community n. 공동체, 집단	**origin** n. 기원	**several** a. 몇몇의
genre n. 장르	**include** v. 포함하다	**mix** v. 섞다
create v. 창조하다, 만들다	**influence** v. 영향을 미치다	**impact** n. 영향
industry n. 산업	**modern** a. 현대의	

1 Everyone knows that a healthy diet is good for our body. However, do you know that **ⓐ** <u>it</u> can help boost our brain power, too? It's true! One of the best foods to improve brain

5 power is fish. Fish contains omega-3 fatty acids. This type of fat will help your brain function at a high level. Scientists suggest that eating fish can help improve memory and learning ability. There are also many other foods that are good for our

10 brain. They are nuts, fruits, and vegetables. These foods have protein, lots of fiber, and healthy fats that brains need. In addition, they also help _____ stress and illness. How about **ⓑ** <u>change</u> your eating habits starting today?

＊omega-3 fatty acid 오메가3 지방산

영영풀이 ✎ 다음 설명에 해당하는 단어를 윗글에서 찾아 넣으시오.

1 <u>f_____</u> to work in the correct or intended way

2 <u>s_____</u> to tell someone your ideas about what they should do, where they should go, etc.

3 <u>h_____</u> something that you do regularly or usually, often without thinking about it

1 윗글의 주제로 가장 적절한 것은? 주제 찾기

① 건강에 좋은 음식
② 다양한 식단이 필요한 이유
③ 두뇌 활동을 촉진하는 음식
④ 생선에 포함된 다양한 포화 지방
⑤ 두뇌 활동을 활발하게 하는 운동

서술형

2 윗글의 밑줄 친 ⓐ it이 가리키는 것을 찾아 영어로 쓰시오. 지칭 추론

_____

3 윗글의 빈칸에 들어갈 말로 가장 적절한 것은? 빈칸 완성

① cause   ② maintain   ③ boost
④ change   ⑤ reduce

서술형

4 윗글의 밑줄 친 ⓑ change를 어법에 맞게 고쳐 쓰시오. 어법

_____

VOCA 101

healthy a. 건강한, 건강에 좋은
brain n. 뇌
function v. 기능하다
protein n. 단백질

diet n. 식단
improve v. ~을 향상시키다
memory n. 기억(력)
fiber n. 섬유

boost v. ~을 신장시키다
contain v. ~을 함유하다
ability n. 능력
habit n. 버릇, 습관

A 다음 설명에 해당하는 단어를 <보기>에서 골라 쓰시오.

> 〈보기〉   access   develop   impact   habit   function

1 _____ to work in the correct or intended way

2 _____ to grow or change into something stronger, or more advanced

3 _____ the effect or influence that an event, situation, etc. has on someone or something

4 _____ something that you do regularly or usually, often without thinking about it

5 _____ to find information, especially on a computer

B 다음 밑줄 친 단어와 유사한 의미의 단어를 고르시오.

1 Please don't <u>attempt</u> to explain the situation to the patient.
   ① prefer   ② try   ③ order
   ④ apply   ⑤ decide

2 The <u>origin</u> of Christmas is the birth of Jesus Christ.
   ① root   ② end   ③ date
   ④ result   ⑤ benefit

3 We can <u>boost</u> our economy by creating millions of new jobs.
   ① improve   ② complete   ③ praise
   ④ concern   ⑤ influence

C 다음 주어진 단어를 알맞게 배열하여 우리말과 같은 뜻이 되도록 영작하시오.

1 플래시 몹이란 현상은 2003년 초에 뉴욕 시에서 처음 발생했다.
   (New York City / the flash mob phenomenon / 2003 / in / in / early / began)
   → _____

2 그러나 힙합 문화의 영향력은 단지 음악에 그치지 않았다.
   (than / has influenced / music / but / just / hip hop culture / more)
   → _____

3 우리 두뇌에 좋은 많은 다른 음식들이 있다.
   (that / our brain / are / are / many / there / foods / other / good for)
   → _____

UNIT 04

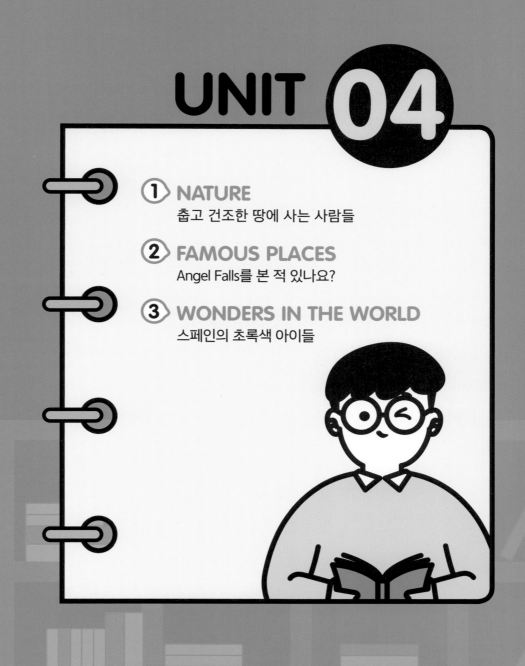

01 NATURE

1

Antarctica is a cold, dry land. But that doesn't mean people don't live ⓐ there. The people in Antarctica (A) [is / are] mainly researchers and scientists. Researchers from

5 all over the world do important scientific tests on ⓑ the land. Most of the scientists perform their research (B) [for / during] the summer. The summer in Antarctica lasts from October to March. Most of the researchers go back ⓒ home

10 after the summer ends. The sun no longer shines on ⓓ the region during the winter. Doing research is very difficult because of this. There are no permanent residents on ⓔ the land except for the Emperor Penguin!

* Antarctica 남극 대륙
* * Emperor Penguin 황제펭귄

영영풀이 다음 설명에 해당하는 단어를 윗글에서 찾아 넣으시오.

1 p _____ to do something, especially something difficult or useful

2 r _____ a particular area in a country or the world

3 p _____ continuing to exist for a long time or for all the time in the future

1 윗글의 제목으로 가장 적절한 것은? 제목 찾기

① Winter in Antarctica
② People in Antarctica
③ Scientific Tests in Antarctica
④ The Emperor Penguin in Antarctica
⑤ The Coldest and Driest Land on Earth

2 윗글의 밑줄 친 ⓐ ~ ⓔ 중에서 가리키는 대상이 나머지 넷과 다른 것은? 지칭 추론

① ⓐ   ② ⓑ   ③ ⓒ   ④ ⓓ   ⑤ ⓔ

3 (A), (B)의 각 괄호 안에서 어법에 맞는 표현으로 가장 적절한 것을 골라 쓰시오. 어법

(A) _____

(B) _____

4 윗글의 밑줄 친 this를 우리말로 설명하시오. 지칭 추론

_____

VOCA 101	**researcher** n. 조사원, 연구원	**scientific** a. 과학적인	**perform** v. 수행하다
	last v. 계속하다, 지속하다	**no longer** 더 이상 ~ 아닌	**permanent** a. 영구적인
	resident n. 거주자		

FAMOUS PLACES

1   Waterfalls are nature's beautiful landmarks. Do you know what the world's highest waterfall is? **ⓐ** It is in Canaima National Park in Venezuela. An American pilot, Jimmy Angel, flew over

5   the falls in 1937, so we call **ⓑ** it Angel Falls to honor him. _____ **ⓒ** It is 3,212 feet high! That's around 500 feet taller than the world's tallest building. Not surprisingly, Angel Falls is one of Venezuela's top tourist

10   attractions. **ⓓ** It is in the jungle. Because of this, **ⓔ** it is very difficult to travel to the falls. Only the most adventurous people will ever get the chance to see this great natural wonder.

영영풀이 ✏️   다음 설명에 해당하는 단어를 윗글에서 찾아 넣으시오.

1   l_____   a building or place that is easy to recognize, especially one that helps you recognize where you are

2   a_____   something interesting or enjoyable to see or do

3   w_____   something that causes a feeling of great surprise and admiration

1 윗글의 제목으로 가장 적절한 것은? 제목 찾기

① How to Live in a Jungle
② The Great Pilot, Jimmy Angel
③ The Highest Falls in the World
④ The World's Greatest Discovery
⑤ The Top Tourist Attraction in the World

2 윗글의 밑줄 친 ⓐ ~ ⓔ가 가리키는 대상이 나머지 넷과 다른 것은? 지칭 추론

① ⓐ 　　② ⓑ 　　③ ⓒ 　　④ ⓓ 　　⑤ ⓔ

3 윗글의 빈칸에 들어갈 말로 가장 적절한 것은? 빈칸 완성

① Who is Jimmy Angel?
② Where is Angel Falls?
③ How high is Angel Falls?
④ Is Angel Falls higher than Niagara Falls?
⑤ How many people have visited Angel Falls so far?

4 엔젤 폭포(Angel Falls)를 여행하기 힘든 이유를 윗글에서 찾아 우리말로 쓰시오. 이유 찾기

_____

VOCA 101		
waterfall n. 폭포	**landmark** n. 명소, 랜드마크	**pilot** n. 비행기 조종사, 파일럿
fly v. 비행하다, 날다	**honor** v. 경의를 표하다	**tourist** n. 관광객
attraction n. 명소, 명물	**adventurous** a. 모험을 좋아하는	**wonder** n. 장관, 경이

03 WONDERS IN THE WORLD

1   Two strange children were found near Banjos, Spain in 1887. One was a boy, and ⓐ [another / the other] was a girl. They were screaming in an ⓑ [unknown / unknowing] language, wearing strange metallic clothes, and their skin was green.

5   The children refused to eat or drink anything at first. The girl finally began to eat some uncooked vegetables, yet the boy didn't have a bite so he died soon. The girl lived for five years after she was found, and during that time her skin slowly lightened to a Caucasian tone. She also learned Spanish and told about her origins. She said that she and her brother had come from a land with green-

10 skinned people, and there was a place of darkness without the sun.

   With her death, any hope of solving the mystery faded. Still today, the story of the green children of Banjos fascinates people of all ages.

영영풀이 ✏️ 다음 설명에 해당하는 단어를 윗글에서 찾아 넣으시오.

1 r_____   to say that you will not do or accept something
2 f_____   to gradually disappear
2 f_____   to interest someone a lot

1

@와 **ⓑ**의 각 괄호 안에서 어법에 맞는 표현으로 가장 적절한 것을 골라 쓰시오. 〔어법〕

@ _____

ⓑ _____

2

윗글의 내용으로 볼 때, 여자아이는 발견된 후 어떻게 했는가? 〔세부 사항〕

① She refused to eat, and died soon after.
② She started eating and learning Spanish.
③ She cried all days and died soon after.
④ She solved the mystery of death.
⑤ She didn't say anything about her life.

3

다음 중 윗글의 내용과 일치하지 <u>않는</u> 것은? 〔내용 불일치〕

① 소년과 소녀는 발견되었을 때 금속 소재의 옷을 입고 있었다.
② 소녀의 피부색은 발견된 후 점차 백인처럼 변했다.
③ 소녀는 자신이 온 곳에 대해서 사람들에게 알려 주었다.
④ 소년은 요리되지 않은 채소를 먹고 죽게 되었다.
⑤ 소년은 발견되었을 때 이상한 언어로 말했다.

서술형

4

윗글을 읽고 빈칸을 채워 줄거리를 완성하시오. 〔요약문 완성하기〕

Two _____-skinned children were _____ in Spain in 1887. Nobody knows where they came from or how they got there. The green children of Banjos remain a fascinating story for people of all ages.

VOCA 101

scream v. 비명을 지르다
uncooked a. 날것의, 요리하지 않은
fade v. 바래다, 시들다

metallic a. 금속의
lighten v. 색이 옅게 되다
fascinate v. 매혹하다

refuse v. 거부하다, 거절하다
Caucasian a. 백인의

Review Test

정답 및 해설 p.12

A 다음 설명에 해당하는 단어를 <보기>에서 골라 쓰시오.

| 〈보기〉 | wonder | fade | attraction | permanent | region |

1 _____ to gradually disappear

2 _____ a particular area in a country or the world

3 _____ something interesting or enjoyable to see or do

4 _____ continuing to exist for a long time or for all the time in the future

5 _____ something that causes a feeling of great surprise and admiration

B 다음 밑줄 친 단어와 유사한 의미의 단어를 고르시오.

1 His headache was caused <u>mainly</u> by stress.
 ① all   ② nearly   ③ always
 ④ shortly   ⑤ mostly

2 I had a <u>chance</u> to see many movie stars.
 ① meeting   ② opportunity   ③ room
 ④ trip   ⑤ change

3 When the old book was <u>found</u>, nobody knew how valuable it was.
 ① lightened   ② published   ③ discovered
 ④ refused   ⑤ removed

C 다음 주어진 단어를 알맞게 배열하여 우리말과 같은 뜻이 되도록 영작하시오.

1 대부분의 연구원은 여름이 끝나면 집으로 돌아간다.
(of / the summer / go back / ends / the researchers / home / after / most)
 → _____

2 그것은 세계에서 가장 높은 빌딩보다 500피트가량 높다.
(around / the world's / that's / building / taller / tallest / than / 500 feet)
 → _____

3 그 아이들은 아무것도 먹거나 마시지 않으려고 했다.
(refused / anything / the children / or / to / drink / eat)
 → _____

UNIT 05

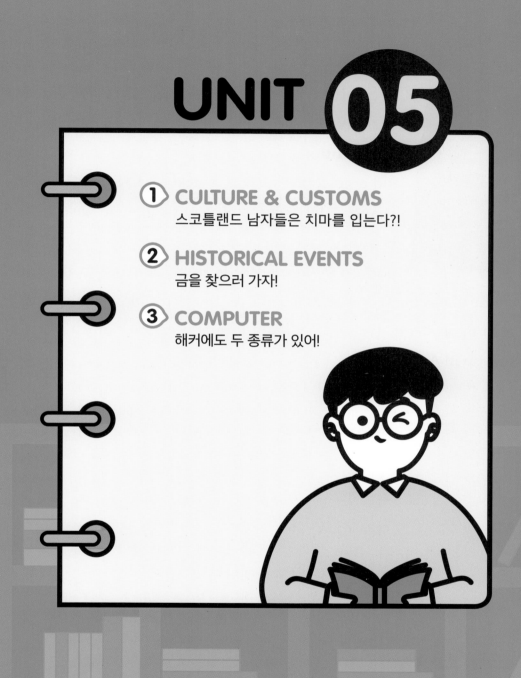

Do Scottish men wear skirts? (A) Scottish men wear kilts, not skirts. (B) The kilt is part of the traditional dress in Scotland. (C) Traditionally Scottish men wear kilts with other clothes and accessories such as a jacket, socks, special footwear, and a weapon. (D) It is easy to spot someone wearing a kilt because of its special tartan or check pattern. (E) Each pattern is unique! Kilts first appeared in the 16th century, and the style has changed over the years. Nowadays, most men in Scotland wear kilts only on formal occasions, much like a tuxedo in America or _____ in Korea.

*tartan 스코틀랜드의 격자무늬

영영풀이 다음 설명에 해당하는 단어를 윗글에서 찾아 넣으시오.

1 t_____ following the customs or ways of behaving that have continued in a group of people for a long time

2 u_____ different from everyone and everything else

3 o_____ an important social event or ceremony

1 글의 흐름으로 보아, 주어진 문장이 들어가기에 가장 적절한 곳은? 주어진 문장 넣기

> In truth, they don't.

① (A)　　　② (B)　　　③ (C)　　　④ (D)　　　⑤ (E)

2 윗글의 목적으로 가장 적절한 것은? 목적 찾기
① 감상　　　② 비판　　　③ 설득　　　④ 기행　　　⑤ 설명

3 킬트(kilt)에 관한 윗글의 내용과 일치하지 <u>않는</u> 것은? 내용 불일치
① 남자들이 입는 옷이다.
② 독특한 무늬를 갖고 있다.
③ 스코틀랜드의 전통 의상이다.
④ 다른 장신구와 함께 착용하지 않는다.
⑤ 요즘은 공식 행사가 있을 때에만 입는다.

4 윗글의 빈칸에 들어갈 말로 가장 적절한 것은? 빈칸 완성
① a skirt　　　② hanbok　　　③ taekwondo
④ a dress　　　⑤ rice cake

VOCA 101

traditional a. 전통적인
spot v. 발견하다
appear v. 나타나다
occasion n. 특별한 일, 행사

footwear n. 신발
pattern n. 무늬, 패턴
century n. 1세기, 100년

weapon n. 무기
unique a. 독특한
formal a. 격식을 차린, 형식적인

1

(A)

Many small towns such as San Francisco quickly became larger because these treasure seekers needed a place to live. The population of San Francisco increased from about 1,000 in 1848 to 25,000 in 1850.

5

(B)

In the middle of the 19th century, gold was discovered in California. The discovery created excitement. Close to 30,000 men, women, and children traveled to California to find their fortune. The Gold Rush even attracted a lot of people from Latin America, Europe, and China.

10

(C)

In the end, 몇몇 사람들 could make a lot of money, _____ most others returned home without any gold at all. The Gold Rush in California ended around 1855.

영영풀이 다음 설명에 해당하는 단어를 윗글에서 찾아 넣으시오.

1 t _____ a group of valuable things such as gold, silver, jewels, etc.
2 f _____ a very large amount of money
3 r _____ to go or come back to a place where you were before

1 윗글 (A), (B), (C)의 순서로 가장 적절한 것은?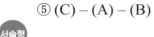

① (A) – (B) – (C)　　　　　② (A) – (C) – (B)
③ (B) – (A) – (C)　　　　　④ (B) – (C) – (A)
⑤ (C) – (A) – (B)

2 샌프란시스코가 큰 도시가 될 수 있었던 구체적인 이유를 윗글에서 찾아 우리말로 쓰시오. 이유 찾기

_____

3 윗글의 밑줄 친 우리말을 영어로 바르게 옮긴 것은? 어법

① few people　　　　　② a few people
③ little people　　　　　④ a little people
⑤ a number of people

4 윗글의 빈칸에 들어갈 말로 가장 적절한 것은? 빈칸 완성

① or　　　② like　　　③ but　　　④ when　　　⑤ because

VOCA 101

treasure n. 보물	**seeker** n. 수색자	**population** n. 인구
discovery n. 발견	**excitement** n. 흥분, 동요, 소란	**fortune** n. 큰 재물, 부
attract v. 끌어당기다	**return** v. 돌아가다, 복귀하다	

1   There are two types of hackers: ethical professionals, who deserve to use the title "hacker", and criminals, who hurt people through cyberspace. Ethical hackers are highly skilled computer professionals who range in age from young teenagers to older adults. Organizations concerned about their own network's

5   safety hire them. Ethical hackers will, with your permission, try to break into your site (a) _____, and then help you fix them. Ethical hackers also are software developers who write security and firewall software. Bad hackers, (b) _____, are usually teens or early twenties who break into other people's computer systems, usually for showing off, thrills or the challenge of

10   doing something dangerous.

영영풀이 다음 설명에 해당하는 단어를 윗글에서 찾아 넣으시오.

1   P_____   someone who works in a job that needs special education and training, such as a doctor, lawyer, or architect

2   c_____   someone who has committed a crime

3   p_____   the act of allowing someone to do something

1 윗글의 빈칸 (a)에 들어갈 가장 알맞은 말은? 〔빈칸 완성〕

① to break your system
② to search your computer
③ to find the weaknesses
④ to get your information
⑤ to show their skill

2 윗글의 빈칸 (b)에 들어갈 가장 알맞은 말은? 〔빈칸 완성〕

① on the other hand
② as a result
③ then
④ accordingly
⑤ in short

3 윗글의 내용으로 볼 때, 'ethical hackers'에 대한 설명으로 알맞지 <u>않은</u> 것은? 〔내용 불일치〕

① They break into your computer system with your permission.
② They love to break into others' computer systems to show themselves off.
③ They are software developers who write security and firewall software.
④ They are professionals who range in age from young teenagers to older adults.
⑤ They use their skills to help others to find out the weaknesses of their systems.

4 윗글을 읽고 빈칸을 채워 줄거리를 완성하시오. 〔요약문 완성하기〕

There are differences between _____ hackers and _____ hackers. _____ hackers break into computer systems to fix the weaknesses while _____ hackers do it only to cause damage.

VOCA 101		
ethical a. 윤리적인, 도덕적인	professional n. 전문가	deserve v. ~할 가치가 있다
highly ad. 매우	skilled a. 숙련된	concerned a. 걱정하는
permission n. 허락	break into ~에 침입하다	security n. 보안
show off 자랑하다	challenge n. 도전	dangerous a. 위험한

Review Test

정답 및 해설 p.14

A 다음 설명에 해당하는 단어를 <보기>에서 골라 쓰시오.

〈보기〉	criminal	permission	return	occasion	fortune

1 _____ a very large amount of money

2 _____ an important social event or ceremony

3 _____ to go or come back to a place where you were before

4 _____ the act of allowing someone to do something

5 _____ someone who has committed a crime

B 다음 밑줄 친 단어와 유사한 의미의 단어를 고르시오.

1 It is easy to spot someone reading the newspaper on the subway.
　① see 　　　　　② hear 　　　　　③ hit
　④ bring 　　　　⑤ draw

2 Your behavior creates a lot of trouble.
　① solves 　　　② causes 　　　　③ deals with
　④ closes 　　　⑤ believes

3 Mr. Howe is a true professional in the field of math.
　① amateur 　　② rookie 　　　　③ expert
　④ performer 　⑤ creator

C 다음 주어진 단어를 알맞게 배열하여 우리말과 같은 뜻이 되도록 영작하시오.

1 킬트는 스코틀랜드 전통 의상 중 하나이다.
(Scotland / the kilt / part / dress / is / the / of / in / traditional)
→ _____

2 이 보물을 찾는 사람들이 살 곳이 필요했다.
(needed / these / live / a / to / seekers / treasure / place)
→ _____

3 네트워크의 안전성을 걱정하는 기관들이 그들을 고용한다.
(hire / organizations / them / concerned about / their own / safety / network's)
→ _____

UNIT 06

01 NATURE

1 Did you know that a penguin is a bird? A penguin really is a bird, but it cannot fly. Most penguins live in the Antarctic, but some of ⓐ <u>them</u> live in the temperate regions.

5 Penguins like to swim in the ocean. They spend about half of their lives swimming in the ocean to find food. They use their wings to swim faster. They especially love to eat squid. A special layer of feathers keeps ⓑ <u>them</u> warm. This is important ＿＿＿＿＿＿＿ most types of penguins live in

10 Antarctica, and they swim in cold water.

* Antarctica 남극 대륙

영영풀이 다음 설명에 해당하는 단어를 윗글에서 찾아 넣으시오.

1 t ＿＿＿＿＿＿＿   neither very hot nor very cold

2 l ＿＿＿＿＿＿＿   an amount or piece of a material or substance that covers a surface or that is between two other things

3 f ＿＿＿＿＿＿＿   one of the light soft things that cover a bird's body

1 윗글의 제목으로 가장 적절한 것은? 〔제목 찾기〕

① The Best Way to Cook Squid
② Penguin: A Bird Which Cannot Fly
③ The Fastest Way to Get to Antarctica
④ Antarctica: The Coldest Place on Earth
⑤ Penguin: The Biggest Bird in Antarctica

2 윗글의 내용과 일치하지 <u>않는</u> 것은? 〔내용 불일치〕

① 어떤 펭귄은 온대 지역에서 산다.
② 대부분의 펭귄은 남극에 산다.
③ 펭귄은 육지에서 먹이를 찾는다.
④ 펭귄은 특히 오징어를 좋아한다.
⑤ 펭귄은 날개를 이용하여 더 빨리 수영할 수 있다.

3 밑줄 친 ⓐ, ⓑ them이 공통으로 가리키는 것을 윗글에서 찾아 쓰시오. 〔지칭 추론〕

_____

4 윗글의 빈칸에 들어갈 말로 가장 적절한 것은? 〔빈칸 완성〕

① so ② but ③ when
④ because ⑤ although

VOCA 101	the Antarctic 남극	temperate a. (기후가) 온난한	region n. 지역
	ocean n. 바다	wing n. 날개	squid n. 오징어
	layer n. 층	feather n. 깃털	important a. 중요한

1 What images come to mind ⓐ <u>when</u> you think of New York City?

(A)

Each ⓑ <u>years</u> it hosts "Shakespeare in the Park." When I was in New York last
summer, I had a chance to see *A Midsummer Night's Dream*. It was magical!

5 (B)

That's right. It's Central Park. It ⓒ <u>has</u> several large ponds, many walking
paths, and even a zoo. It also has two large ice skating rinks, and ⓓ <u>they</u> open
in the winter. My favorite attraction is the Delacorte Theater.

(C)

10 Perhaps you imagine the Empire State Building, the Statue of Liberty, or
Times Square. Of course you do. After all, New York City is a concrete jungle!
However, did you know that there ⓔ <u>is</u> a huge park 도시 한가운데에?

* A Midsummer Night's Dream 한여름 밤의 꿈(셰익스피어의 희곡)

영영풀이 다음 설명에 해당하는 단어를 윗글에서 찾아 넣으시오.

1 <u>h</u>　　　　　　to provide the place and everything that is needed for an organized event
2 <u>s</u>　　　　　　an amount that is not exact but is fewer than many
3 <u>p</u>　　　　　　a route or track between one place and another

1 윗글 (A), (B), (C)의 순서로 가장 적절한 것은? 글의 순서 정하기

① (A) – (B) – (C)　　　　　　② (B) – (A) – (C)
③ (B) – (C) – (A)　　　　　　④ (C) – (A) – (B)
⑤ (C) – (B) – (A)

2 다음 중 뉴욕에서 볼 수 있는 것으로 언급된 것이 <u>아닌</u> 것은? 세부 사항

① Central Park　　　　　　② the Empire State Building
③ the Statue of Liberty　　　　④ jungle
⑤ Times Square

3 윗글의 밑줄 친 ⓐ ~ ⓔ 중 어법상 틀린 것은? 어법

① ⓐ　　　　② ⓑ　　　　③ ⓒ　　　　④ ⓓ　　　　⑤ ⓔ

서술형

4 주어진 단어를 알맞게 배열하여 밑줄 친 우리말과 같은 뜻이 되도록 영작하시오. 문장 완성

(the city / middle / in / of / the)

_____

VOCA 101	
host v. 주최하다, (행사 등을) 열다	**magical** a. 매혹적인, 마술 같은　**pond** n. 연못
path n. 길	**theater** n. 극장　**concrete** a. 콘크리트로 만든
jungle n. 정글, 밀림	**huge** a. 매우 큰

1   Tropical rainforests are home to many different types of animals. Some of the animals are very strange. _____, poison dart frogs are active during the day, unlike most frogs. Most poison dart frogs are tiny. They are about 1.5 to 6 centimeters long. They are also very colorful. They may look

5   cute, but they can be very dangerous! Many of them have deadly poisons in their skin. This poison protects them from dangerous, hungry predators. For example, the blue poison dart frog has bright blue skin. It uses its color to warn other animals that it is very poisonous.

* poison dart frog 독화살개구리

영영풀이 ✎ 다음 설명에 해당하는 단어를 윗글에서 찾아 넣으시오.

1   a _____   always busy doing things, especially physical or mental activities
2   d _____   likely to cause death
3   p _____   an animal that kills and eats other animals

1 독화살개구리(poison dart frog)에 관한 윗글의 내용과 일치하지 <u>않는</u> 것은? 내용 불일치

① 색이 화려하다.
② 주로 낮에 활동한다.
③ 주로 크기가 매우 작다.
④ 혀에 치명적인 독이 있다.
⑤ 다른 동물은 독 때문에 이것을 잡아먹지 못한다.

2 윗글의 빈칸에 들어갈 말로 가장 적절한 것은? 빈칸 완성

① Therefore   ② For example   ③ However
④ So   ⑤ Because of

3 윗글의 내용을 요약하고자 한다. 빈칸 (A)와 (B)에 들어갈 말로 가장 적절한 것은? 요약문 완성하기

There are some (A) animals in tropical rainforests. Poison dart frogs are a good example. They have poisons. Their poisons help them (B) in the jungle.

	(A)		(B)
①	big	.....	protect
②	unusual	.....	survive
③	colorful	.....	hurt
④	tiny	.....	kill
⑤	wild	.....	enjoy

VOCA 101

tropical a. 열대의   rainforest n. 우림   poison n. 독
active a. 활동하는, 활동적인   tiny a. 매우 작은   colorful a. 형형색색의
deadly a. 치명적인, 치사의   predator n. 포식 동물, 육식 동물   warn v. 경고하다
poisonous a. 유독한

A 다음 설명에 해당하는 단어를 <보기>에서 골라 쓰시오.

〈보기〉	host	predator	several	deadly	temperate

1 _____ likely to cause death

2 _____ an amount that is not exact but is fewer than many

3 _____ neither very hot nor very cold

4 _____ to provide the place and everything that is needed for an organized event

5 _____ an animal that kills and eats other animals

B 다음 밑줄 친 단어와 유사한 의미의 단어를 고르시오.

1 There are thousands of different plants in the tropical region.
   ① forest   ② tribe   ③ border
   ④ area   ⑤ countryside

2 Jenny's house looks huge. She must be rich.
   ① small   ② tiny   ③ cheap
   ④ very large   ⑤ dark

3 I felt there was something strange about him.
   ① normal   ② common   ③ unusual
   ④ great   ⑤ terrible

C 다음 주어진 단어를 알맞게 배열하여 우리말과 같은 뜻이 되도록 영작하시오.

1 그들은 일생의 절반가량을 먹이를 찾아 바다에서 수영하며 보낸다.
   (in the ocean / they / about half of / swimming / find / spend / to / food / their lives)
   → _____

2 도시 한가운데에 거대한 공원이 있다는 것을 알았는가?
   (a huge park / there / in the middle / you / of the city / did / know / that / is)
   → _____

3 그것은 그 색을 이용해서 다른 동물들에게 자신이 매우 유독하다는 것을 경고한다.
   (very poisonous / it / it / warn / that / is / uses / other animals / its color / to)
   → _____

UNIT 07

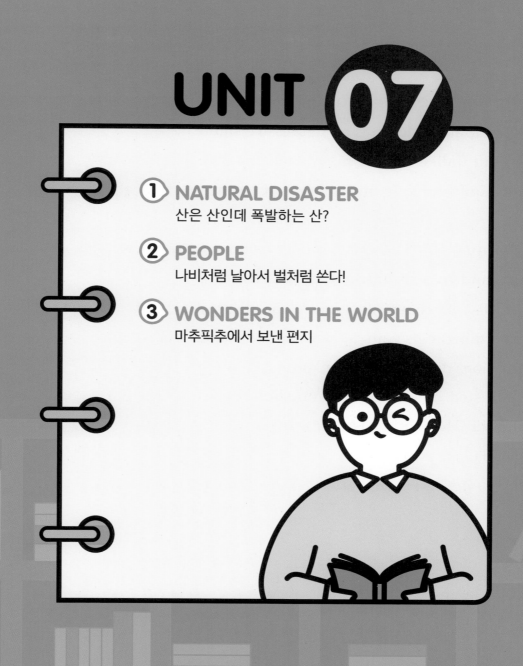

NATURAL DISASTER

1   Did you ever see a volcano erupt? (A)
An erupting volcano is an impressive sight!
(B) But unlike regular mountains, magma,
hot liquid rock, is under them. (C) When

5   the pressure builds inside of the volcano,
it erupts. (D) The eruption sends gases,
ash, and rock up into the air. (E) Red hot
lava is very dangerous, and it can destroy
everything in its path. In fact, some volcanic

10   eruptions <u>did</u> destroy entire forests! If you're
interested in seeing one, you should visit
Hawaii. The world's largest active volcano,
Mauna Loa, is in Hawaii.

＊lava 용암
＊＊active volcano 활화산

영영풀이 다음 설명에 해당하는 단어를 윗글에서 찾아 넣으시오.

1 e _____   to explode and send smoke, fire, and rock into the sky
2 p _____   the force that a liquid or gas produces when it presses against an area
3 d _____   to damage something so badly that it cannot be used

1 글의 흐름으로 보아, 주어진 문장이 들어가기에 가장 적절한 곳은? [주어진 문장 넣기]

> Volcanoes are actually mountains.

① (A)   ② (B)   ③ (C)   ④ (D)   ⑤ (E)

2 윗글의 내용과 일치하지 <u>않는</u> 것은? [내용 불일치]

① 화산 아래에 마그마가 있다.
② 화산 내부의 압력이 낮아지면 폭발한다.
③ 화산 폭발로 숲 전체가 파괴되기도 했다.
④ 세계에서 가장 큰 활화산은 하와이에 있다.
⑤ 화산이 폭발하면 가스, 재, 용암이 뿜어져 나온다.

3 마그마(magma)가 무엇인지 윗글에서 찾아 영어로 쓰시오.(3단어로) [의미 파악]

_____

4 윗글의 밑줄 친 did와 쓰임이 같은 것은? [어법]

① I <u>do</u> love to watch TV.
② She <u>does</u> not come from China.
③ We <u>did</u> our homework together.
④ <u>Do</u> you eat breakfast every morning?
⑤ I <u>did</u> not play a computer game last night.

VOCA 101

volcano n. 화산	erupt v. 폭발하다, 분출하다	pressure n. 압력
build v. 높아지다, 고조되다	destroy v. 파괴하다	eruption n. 폭발, 분출
entire a. 전체의		

1   He floats like a butterfly and stings like a bee.
His name is Muhammad Ali! His original name is
Cassius Marcellus Clay Jr. Many people consider him
to be the greatest boxer of all time. He was the World
5   Heavyweight Champion three times.
His ⓐ 가장 기억에 남는 fight took place on October 30, 1974.
The fight was nicknamed "Rumble in the Jungle." Ali
defeated champion George Foreman ⓑ to regain the
World Heavyweight Championship belt. Few people thought Ali could defeat
10 Foreman, _____ Ali's "Rope-a-Dope" strategy quickly made
George Foreman tired. Finally, Ali won the fight. It was one of boxing's most
exciting fights.

＊heavyweight (권투의) 헤비급
＊＊rumble (패) 싸움
＊＊＊Rope-a-Dope 로프어도프(권투에서 로프를 등지고 상대의 펀치를 흘리는 기술)

영영풀이 ✏️   다음 설명에 해당하는 단어를 윗글에서 찾아 넣으시오.

1 f _____ to move slowly through the air or stay up in the air
2 d _____ to win a victory over someone in a war, competition, game, etc.
3 s _____ a planned series of actions for achieving something

1 무하마드 알리에 관한 윗글의 내용과 일치하지 <u>않는</u> 것은? [내용 불일치]

① '무하마드 알리'는 본명이 아니다.
② 세계 헤비급 챔피언에 세 번 등극했다.
③ Rumble in the Jungle은 그의 별명이다.
④ 조지 포먼을 누르고 세계 챔피언을 탈환했다.
⑤ 많은 사람들이 그가 조지 포먼에게 질 거라고 예상했다.

서술형

2 윗글의 밑줄 친 우리말 ⓐ를 주어진 단어를 이용하여 영작하시오. (memorable) [문장 완성]

_____

3 윗글의 밑줄 친 ⓑ to regain과 쓰임이 같은 것은? [어법]

① I wanted <u>to buy</u> that dress.
② Let's have something <u>to eat</u>.
③ My dream is <u>to become</u> a movie star.
④ She woke up <u>to be</u> a superstar.
⑤ <u>To have</u> breakfast is good for your health.

4 윗글의 빈칸에 들어갈 말로 가장 적절한 것은? [빈칸 완성]

① so   ② but   ③ when
④ because   ⑤ even though

 VOCA 101

float v. 날다, 헤엄치다
nickname v. 별명을 붙이다
strategy n. 전략
sting v. 쏘다
defeat v. 물리치다
consider v. 여기다, 생각하다
regain v. 되찾다, 회복하다

03 WONDERS IN THE WORLD

1   Dear Whitney,

We're finally here in Machu Picchu! My family and I got here yesterday after spending a day in the capital of Peru, Lima. I have to say that this is the most beautiful place I've ever seen. The history behind the "lost city" is fascinating.

5   Machu Picchu was built between 1460 and 1470, and ⓐ <u>abandoned</u> by the Incans, the local residents, when the Spanish arrived. It disappeared from memory until an American ⓑ <u>discovered</u> it in 1911.

Machu Picchu is almost 3,000m ⓒ <u>below</u> sea level! But when you arrive at the top, you will know it is worth climbing up that high. The view from the top of

10   Machu Picchu is ⓓ <u>breathtaking</u>! The royal estate itself is amazing, too. There are temples, houses, and a water sewage system that are the ⓔ <u>evidence</u> of civilization.

I promise I'll write you again in a few days. Bye for now!

Your friend,

Katie

영영풀이 ✏️ 다음 설명에 해당하는 단어를 윗글에서 찾아 넣으시오.

1 l_____   relating to the particular area you live in, or the area you are talking about

2 r_____   someone who lives or stays in a particular place

3 r_____   relating to or belonging to a king or queen

1 윗글을 쓴 목적으로 알맞은 것은? [목적 찾기]

① To invite Whitney to Peru and share the amazing trip together
② To boast about the writer's vacation in Machu Picchu
③ To share the writer's feelings and experience in Machu Picchu
④ To report to the royal family on what the writer's family did
⑤ To say goodbye to Whitney because the writer moves to another city

2 윗글의 밑줄 친 ⓐ ~ ⓔ 중, 문맥상 낱말의 쓰임이 적절하지 <u>않은</u> 것은? [어휘]

① ⓐ　　　　② ⓑ　　　　③ ⓒ　　　　④ ⓓ　　　　⑤ ⓔ

3 윗글의 내용으로 볼 때, 마추픽추(Machu Picchu)의 원래 소유자는 누구인가? [세부 사항]

① the Incans
② Spanish people
③ the Incans and Spanish people
④ an American
⑤ various tribes

4 윗글의 내용으로 볼 때, 마추픽추에 대한 설명과 일치하지 <u>않는</u> 것은? [내용 불일치]

① It is in Peru.
② It is close to cities.
③ It was built between 1460 and 1470.
④ There are temples in the city.
⑤ It was rediscovered by an American in 1911.

VOCA 101		
capital n. 수도	**abandon** v. 버리다, 포기하다	**local** a. 현지의
breathtaking a. 깜짝 놀랄 만한	**royal** a. 왕실의, 고귀한	**estate** n. 부지
temple n. 신전, 사원	**water sewage system** n. 하수도 시설	**civilization** n. 문명

A 다음 설명에 해당하는 단어를 <보기>에서 골라 쓰시오.

〈보기〉　　defeat　　destroy　　float　　royal　　resident

1 _____ to damage something so badly that it cannot be used

2 _____ relating to or belonging to a king or queen

3 _____ to move slowly through the air or stay up in the air

4 _____ someone who lives or stays in a particular place

5 _____ to win a victory over someone in a war, competition, game, etc.

B 다음 밑줄 친 단어와 유사한 의미의 단어를 고르시오.

1 My <u>regular</u> working hours are 9 a.m. to 5 p.m.
　① free　　　　　　　② ordinary　　　　　③ extra
　④ huge　　　　　　　⑤ medium

2 Students <u>consider</u> Mr. Jones an excellent teacher.
　① meet　　　　　　　② agree　　　　　　③ talk
　④ test　　　　　　　⑤ think

3 There is strong <u>evidence</u> that he is lying.
　① proof　　　　　　　② superstition　　　③ experience
　④ examination　　　　⑤ influence

C 다음 주어진 단어를 알맞게 배열하여 우리말과 같은 뜻이 되도록 영작하시오.

1 실제로 몇몇 화산 폭발은 숲 전체를 파괴했다!
(entire / destroy / in fact / some / eruptions / forests / did / volcanic)
→ _____

2 그것은 가장 흥미진진한 권투 시합 중 하나였다.
(boxing's / was / exciting / one / fights / of / it / most)
→ _____

3 너는 그렇게 높이 올라온 보람이 있다는 것을 알게 될 거야.
(worth / know / is / you / climbing up / will / that high / it)
→ _____

UNIT 08

① **SCHOOL LIFE**
기숙사에서 다니는 학교는 어떨까?

② **SPORTS**
라크로스(Lacrosse)에 대해 들어 봤니?

③ **ART**
그라피티는 더 이상 낙서가 아니라고요!

01 SCHOOL LIFE

1   I attend boarding school. In the first year, I was kind of scared. It was my first time to be away from home. But when I got to the school, everyone was very friendly. On the first day, we had a big party. The headmaster welcomed us all to

5   the school. He was very nice. He told several funny jokes, and we all laughed. It made me _____ a lot better. Now I love my school life. I'm living in the dormitory and sharing a room with three other friends. The teachers are very kind, and they always help me with my studies. I am enjoying boarding school.

*headmaster 교장
**dormitory 기숙사

영영풀이 ✏️ 다음 설명에 해당하는 단어를 윗글에서 찾아 넣으시오.

1 a _____ to go to an event such as a meeting or a class
2 w _____ to say hello in a friendly way to someone who has just arrived
3 s _____ to have or use something with other people

1 윗글에 나타난 "I"의 심경 변화로 가장 적절한 것은? 심경 추론

① happy   →   scared
② joyful   →   worried
③ sad   →   joyful
④ scared   →   angry
⑤ worried   →   happy

2 다음 질문에 알맞은 대답을 윗글에서 찾아 영어로 쓰시오.(5단어로) 내용 이해

Q: What did the students do on their first day at the boarding school?

A: _____

3 다음 설명에 해당하는 단어를 윗글에서 찾아 쓰시오. 어휘

something that you say to make others laugh, especially a funny story

_____

4 윗글의 빈칸에 들어갈 말로 가장 적절한 것은? 빈칸 완성

① felt   ② feel   ③ feeling
④ to feel   ⑤ to feeling

VOCA 101

attend v. 다니다, 출석하다   boarding school n. 기숙학교   scared a. 겁먹은
friendly a. 친절한, 친근한   welcome v. 환영하다   dormitory n. 기숙사
share v. 함께 쓰다, 공유하다

1　What sports come to mind when you think of Canada? Skiing, sure. Ice hockey, definitely! How about lacrosse? Lacrosse is actually the national sport of Canada. Players use a special

5　stick called a "crosse." It has a basket on top. They pass a hard ball back and forth with it. _____ is to get the ball into the other team's net. Like in soccer, only goalkeepers can touch the ball with their hands. Lacrosse is a

10　very tough sport. In fact, North American natives invented lacrosse to train for war.

영영풀이 　다음 설명에 해당하는 단어를 윗글에서 찾아 넣으시오.

1 　t _____ 　violent and having no gentle qualities
2 　n _____ 　someone who lives in a place all the time or has lived there a long time
3 　i _____ 　to make, design, or think of a new type of thing

1 윗글의 밑줄 친 it이 가리키는 것으로 가장 적절한 것은? [지칭 추론]

① the other team's net ② Canada ③ lacrosse
④ the crosse ⑤ a hard ball

2 윗글의 빈칸에 들어갈 말로 가장 적절한 것은? [빈칸 완성]

① The goal of the game ② The name of the game
③ The origin of the game ④ The referee of the game
⑤ The manner of the game

3 라크로스(Lacrosse)에 관한 윗글의 내용과 일치하지 <u>않는</u> 것은? [내용 불일치]

① 몹시 거친 스포츠이다.
② 최근에 새로 생긴 스포츠이다.
③ 캐나다의 대표적인 스포츠이다.
④ 선수들은 crosse라고 불리는 막대를 사용한다.
⑤ 골키퍼를 제외한 나머지 선수들은 손으로 공을 잡을 수 없다.

4 북미 원주민들이 라크로스(Lacrosse)를 만든 이유를 윗글에서 찾아 우리말로 쓰시오. [이유 찾기]

_____

VOCA 101	**definitely** ad. 확실히, 명확히	**stick** n. 스틱, 막대기	**back and forth** 앞뒤로
	goal n. 목표	**tough** a. 거센, 힘든	**native** n. 원주민, 원어민
	invent v. 발명하다, 만들어내다		

1 Graffiti is writing or drawings done on the walls of buildings without permission. Police officers often arrest people who damage public property with graffiti. Some believe that it is an art form, and others believe that it is just vandalism. Graffiti can be found in almost every city around the world! Graffiti

5 is usually very colorful, and it takes a lot of effort to plan the design. <u>As</u> time passed, it became more accepted as an art form by the general public. In the United States, many graffiti artists take part in making designs on skateboards, clothes, and shoes. Even large companies such as IBM and SONY have used graffiti to advertise their products. Art galleries and museums have started to

10 display graffiti as _____.

* vandalism 공공 기물 파손죄

영영풀이 다음 설명에 해당하는 단어를 윗글에서 찾아 넣으시오.

1 d _____ to cause physical harm to something or to part of someone's body

2 p _____ a building, a piece of land, or both together

3 d _____ to show something to people, or put it in a place where people can see it easily

72

1 그라피티(Graffiti)가 무엇인지 윗글에서 찾아 영어로 쓰시오. 〔의미 파악〕

_____

2 윗글의 밑줄 친 **As**와 의미가 같은 것은? 〔어법〕

① No one is as tall as Carl in school.
② Monica works for a hospital as a doctor.
③ I went to the dentist as I had a terrible toothache.
④ As you know, the movie will start in ten minutes.
⑤ As he became richer and richer, he wanted more money.

3 그라피티(Graffiti)가 상업적으로 쓰이는 예를 윗글에서 찾아 우리말로 쓰시오. (두 개) 〔세부 사항〕

_____

4 윗글의 빈칸에 들어갈 말로 가장 적절한 것은? 〔빈칸 완성〕

① artwork ② vandalism ③ marketing
④ a message ⑤ a product

VOCA 101		
graffiti n. 낙서, 그라피티	**damage** v. 손상을 주다	**public** a. 일반인의, 대중의 n. 대중
property n. 재산, 건물	**form** n. 종류, 유형	**colorful** a. 다채로운, 형형색색의
company n. 회사	**advertise** v. ~을 광고하다	**display** v. ~을 전시하다

A 다음 설명에 해당하는 단어를 <보기>에서 골라 쓰시오.

> 〈보기〉　　attend　　share　　welcome　　damage　　property

1 _____ a building, a piece of land, or both together

2 _____ to have or use something with other people

3 _____ to cause physical harm to something or to part of someone's body

4 _____ to say hello in a friendly way to someone who has just arrived

5 _____ to go to an event such as a meeting or a class

B 다음 밑줄 친 단어와 유사한 의미의 단어를 고르시오.

1 When I heard someone screaming, I got scared.
　① frightened　　　　② upset　　　　③ angry
　④ sad　　　　⑤ happy

2 Actually, I didn't do it. Kate did.
　① Fortunately　　　　② Finally　　　　③ Always
　④ In fact　　　　⑤ In short

3 He asked Jane to take part in the meeting tomorrow.
　① plan　　　　② happen　　　　③ organize
　④ join　　　　⑤ delay

C 다음 주어진 단어를 알맞게 배열하여 우리말과 같은 뜻이 되도록 영작하시오.

1 그가 몇 가지 재미있는 농담을 했고 우리는 모두 웃었다.
　(and / told / we / laughed / he / jokes / all / several / funny)
　→ _____

2 축구에서처럼 골키퍼만이 공을 손으로 잡을 수 있다.
　(touch / their hands / soccer / with / can / only / like / goalkeepers / the ball / in)
　→ _____

3 그라피티는 전 세계 모든 도시에서 발견될 수 있다.
　(found / the world / graffiti / around / in / can / almost / be / every city)
　→ _____

UNIT 09

1 Have you ever had a chance to travel on a cruise ship?

(A)

On these islands, you can try snorkeling, windsurfing, sailing, _____ many other fun activities. A trip on a cruise ship can be a wonderful experience.

5 (B)

It can be very exciting! Cruise ships are like hotels. They offer all ⓐ <u>sorts</u> of services ⓑ <u>like</u> swimming pools, restaurants, _____ fitness centers.

(C)

They also have live comedy and music 10 performances to entertain people in the evenings. Great cooks are ready to make wonderful meals for the guests. In addition, many of the ships stop at exotic islands.

영영풀이 ✏️ 다음 설명에 해당하는 단어를 윗글에서 찾아 넣으시오.

1 o _____ to provide something that people need or want

2 p _____ the action of entertaining other people by dancing, singing, acting, or playing music

3 e _____ unusual and exciting because of coming (or seeming to come) from far away, especially a foreign country

1 윗글의 (A), (B), (C)의 순서로 가장 적절한 것은? [글의 순서 정하기]

① (A) – (B) – (C)   ② (B) – (A) – (C)
③ (B) – (C) – (A)   ④ (C) – (A) – (B)
⑤ (C) – (B) – (A)

 서술형

2 윗글의 빈칸에 공통으로 들어갈 접속사를 쓰시오. [빈칸 완성]

_____

3 윗글의 밑줄 친 ⓐ sorts와 의미가 같은 단어는? [어휘]

① kinds   ② prices   ③ things
④ places   ⑤ stores

4 윗글의 밑줄 친 ⓑ like와 쓰임이 같은 것은? [어법]

① I like his new book.
② We like the idea of studying abroad.
③ How do you like living in Chicago?
④ Would you like something to drink?
⑤ Sweet food like chocolate is bad for your teeth.

VOCA 101	cruise ship n. 유람선	experience n. 경험	offer v. 제공하다
	service n. 서비스, 시설	performance n. 공연	entertain v. 즐겁게 하다
	exotic a. 이국적인		

1 We all use cellular phones. They are a necessity in today's modern world. (A) However, you should always be polite when you use your cellular phone in a public place. First, don't speak too loudly. (B) Phone technology is
5 much better than it used to be. You don't need to yell into your phone! (C) Second, turn off your phone when you go to a movie theater. (D) You will disturb people if your phone rings. Third, don't use your cellular phone ＿＿＿＿＿ you are driving a car. (E) Finally, ⓐ it's rude to take a call when you are in a conversation with somebody. Instead, let your voicemail
10 system take a message, and call back at a more appropriate time.

영영풀이 다음 설명에 해당하는 단어를 윗글에서 찾아 넣으시오.

1 n＿＿＿＿＿ something that you need to have in order to live

2 d＿＿＿＿＿ to interrupt someone so that they cannot continue what they are doing

3 r＿＿＿＿＿ speaking or behaving in a way that is not polite and is likely to offend or annoy people

1 글의 흐름으로 보아, 주어진 문장이 들어가기에 가장 적절한 곳은? [주어진 문장 넣기]

It can be dangerous and might result in a car accident.

① (A)   ② (B)   ③ (C)   ④ (D)   ⑤ (E)

2 윗글의 빈칸에 들어갈 말로 가장 적절한 것은? [빈칸 완성]

① while   ② unless   ③ because

④ until   ⑤ although

3 윗글의 밑줄 친 ⓐ it이 가리키는 것을 찾아 영어로 쓰시오. [지칭 추론]

_____

4 윗글에서 휴대 전화 예절로 언급되지 <u>않은</u> 것은? [내용 불일치]

① 극장에서는 휴대 전화의 전원을 끈다.

② 운전할 때에는 휴대 전화를 사용하지 않는다.

③ 공공장소에서는 휴대 전화를 진동으로 해놓는다.

④ 휴대 전화를 사용할 때 큰 소리로 말하지 않는다.

⑤ 다른 사람과 대화할 때에는 되도록 휴대 전화를 받지 않는다.

VOCA 101		
necessity n. 필수품, 필요(성)	**polite** a. 예의 바른, 공손한	**yell** v. 고함치다
disturb v. ~을 방해하다	**finally** ad. 마지막으로, 마침내	**rude** a. 무례한
conversation n. 대화	**appropriate** a. 적절한	

03 MUSIC

Jazz music originated in the southern United States in the early twentieth century. The music was based on both African and European music, and it has been influenced by several styles of music like hymns and blues. (A) Jazz began to travel across the United States in the 1920's and became popular in large cities such as New York and Chicago. (B) Jazz was more than just a musical genre for people. (C) Many types of instruments are used by jazz musicians. (D) It made an impact on American culture. (E) It also helped to unite people from different races and cultures. The music made strong statements about freedom, creativity, and American identity. Today, jazz has spread all over the world, and it is one of the most popular music styles in the world.

영영풀이 다음 설명에 해당하는 단어를 윗글에서 찾아 넣으시오.

1 u _____ to join together as a group, or to make people join together as a group

2 r _____ a group, especially of people, with particular similar physical characteristics

3 s _____ to (cause to) cover, reach, or have an effect on a wider or increasing area

1 윗글의 주제로 가장 적절한 것은? 주제 찾기

① famous jazz musicians
② various kinds of jazz music
③ the birth of jazz music and its impact
④ the best way to enjoy jazz music
⑤ jazz music in Africa and Europe

2 윗글에서 전체 흐름과 관계<u>없는</u> 문장은? 무관한 문장 찾기

① (A)　　　② (B)　　　③ (C)　　　④ (D)　　　⑤ (E)

3 윗글의 내용과 일치하지 <u>않는</u> 것은? 내용 불일치

① 재즈는 미국에서 탄생했다.
② 재즈는 다른 음악의 영향을 받지 않았다.
③ 오늘날 전 세계 많은 사람이 재즈를 좋아한다.
④ 재즈는 다른 인종과 문화를 통합하는 데 도움을 주었다.
⑤ 재즈는 1920년대 미국의 다른 지역으로 퍼지기 시작했다.

4 재즈 음악이 나타내는 것을 윗글에서 찾아 영어로 쓰시오. (3가지) 세부 사항

_____

VOCA 101

originate v. 유래하다	**influence** v. ~에 영향을 주다	**several** a. 몇몇의, 몇 개의
popular a. 인기 있는	**impact** n. 영향, 충격	**unite** v. 통합하다, 통일하다
race n. 인종, 종족	**culture** n. 문화	**spread** v. 퍼지다, 확산되다

Review Test

정답 및 해설 p.25

A 다음 설명에 해당하는 단어를 <보기>에서 골라 쓰시오.

〈보기〉   offer   rude   unite   necessity   race

1 _____ a group, especially of people, with particular similar physical characteristics

2 _____ speaking or behaving in a way that is not polite and is likely to offend or annoy people

3 _____ to join together as a group, or to make people join together as a group

4 _____ something that you need to have in order to live

5 _____ to provide something that people need or want

B 다음 밑줄 친 단어와 유사한 의미의 단어를 고르시오.

1 The night view in Hong Kong is <u>wonderful</u>.
  ① strange   ② terrible   ③ great
  ④ angry   ⑤ sad

2 Sorry to <u>disturb</u> you, but can I ask you a question?
  ① avoid   ② attract   ③ contact
  ④ admit   ⑤ interrupt

3 His speech <u>influenced</u> my decision.
  ① solved   ② affected   ③ deleted
  ④ destroyed   ⑤ determined

C 다음 주어진 단어를 알맞게 배열하여 우리말과 같은 뜻이 되도록 영작하시오.

1 유람선 여행을 할 기회를 가진 적이 있는가?
(a chance / ever / you / a cruise ship / have / on / to travel / had)
→ _____

2 누군가와 대화하는 도중에 휴대 전화를 받는 것은 무례한 일이다.
(somebody / rude / take a call / it's / when / to / in a conversation / you are / with)
→ _____

3 그 음악은 아프리카와 유럽 음악을 바탕으로 했다.
(African / European / both / music / the music / was based / and / on)
→ _____

UNIT 10

1 Earthquakes are dangerous. They often destroy buildings and kill many people.

(A)

In 1960, an earthquake caused 엄청난 양의 피해 in southern Chile. It measured 9.5 on
5 the Richter scale. It is the most powerful earthquake to date.

(B)

Landslides and falling rocks from nearby mountains completely changed the
landscape of the area. After the earthquake, part of the ground around the area
sank into the ocean, and was full of seawater.

10 (C)

The towns of Valdivia and Puerto Montt
in Chile suffered major damage during the
disaster _____ they were closest
to the earthquake. However, it destroyed
15 not just homes and buildings.

＊Richter scale 리히터 지진계(지진의 크기를 나타내는 척도)
＊＊landslide 산사태

영영풀이 다음 설명에 해당하는 단어를 윗글에서 찾아 넣으시오.

1 s_____ to go down below the surface of water, mud, etc.

2 s_____ to experience or show the effects of something bad

3 d_____ a sudden event such as a flood, storm, or accident which causes great
damage or suffering

1 윗글 (A), (B), (C)의 순서로 가장 적절한 것은? 글의 순서 정하기

① (A) – (B) – (C) ② (A) – (C) – (B)
③ (B) – (A) – (C) ④ (B) – (C) – (A)
⑤ (C) – (A) – (B)

2 윗글의 제목으로 가장 적절한 것은? 제목 찾기

① What Is The Richter Scale?
② The Most Destructive Tsunami
③ Valdivia: A Beautiful Town in Chile
④ The Most Powerful Earthquake in History
⑤ Dangerous Falling Rocks from Mountains

3 윗글의 밑줄 친 우리말과 같은 뜻이 되도록 주어진 단어를 알맞게 배열하시오. 문장 완성

(damage / a / of / huge / amount)

_____

4 윗글의 빈칸에 들어갈 말로 가장 적절한 것은? 빈칸 완성

① so ② but ③ because
④ although ⑤ and

VOCA 101		
earthquake n. 지진	**cause** v. 일으키다, 초래하다	**measure** v. (치수, 길이 등이) ~이다
landscape n. 풍경, 경치	**sink** v. 가라앉다	**be full of** ~로 가득 차다
suffer v. 고통받다, 겪다	**damage** n. 손해, 피해	**disaster** n. 재난, 재앙

1

The Great Irish Potato Famine ⓐ <u>caused</u> great hardship for the Irish people. The famine began ⓑ <u>appear</u> in 1845 and lasted ⓒ <u>until</u> 1852. The primary cause of the

5 famine was the failure of the potato crop. A potato disease known as "potato blight" infected the crops. This caused the potatoes to rot.

Potatoes ⓓ <u>were</u> the main source of food for the Irish people. The crop failure caused mass starvation throughout the country. About one million people ⓔ <u>died</u> of starvation and diseases, and another one million left their homeland

10 for Great Britain, Canada, and the United States. As a result, the Irish population was reduced by almost twenty-five percent during this period.

* blight 〈식물〉 말라죽는 병

영영풀이 다음 설명에 해당하는 단어를 윗글에서 찾아 넣으시오.

1 f _____ a situation in which a large number of people have little or no food for a long time and many people die

2 i _____ to give someone or something a disease

3 p _____ a particular length of time with a beginning and an end

1 윗글의 제목으로 가장 적절한 것은? 제목 찾기

① A List of Potato Diseases
② The Potato Famine in Ireland
③ How to Overcome Potato Famine
④ The Main Cause of Potato Famine
⑤ Potatoes: The Main Source of Food in Ireland

2 윗글의 ⓐ ~ ⓔ 중 어법상 틀린 것은? 어법

① ⓐ   ② ⓑ   ③ ⓒ   ④ ⓓ   ⑤ ⓔ

3 윗글의 내용과 일치하지 않는 것은? 내용 불일치

① 감자 대기근은 농작물 질병에서 비롯되었다.
② 감자 대기근으로 약 백만 명이 목숨을 잃었다.
③ 아일랜드 감자 대기근은 7년 동안 계속되었다.
④ 감자 대기근을 피해 많은 사람들이 아일랜드로 이주했다.
⑤ 감자 대기근으로 약 25%의 아일랜드 인구가 감소했다.

4 감자 대기근이 아일랜드 사람들에게 큰 문제가 된 이유를 윗글에서 찾아 영어로 쓰시오. 이유 찾기

Potatoes were _____ .

VOCA 101		
famine n. 기근	**hardship** n. 어려움, 곤란	**primary** a. 주요한
failure n. 실패, 흉작	**rot** v. 썩다	**mass** a. 대규모의, 대량의
starvation n. 기아, 굶주림		

03 MODERN LIFE

1   Online shopping has become very popular. Why do you think customers prefer to shop online? First of all, it is very convenient. Online stores are open twenty-four hours a day.

5   You can _____. For instance, you can purchase clothes, books, and even groceries from online stores. It's very easy to compare prices, and you can find lots of product reviews online to help you choose a product. However, there are some drawbacks. It could take a couple of days to receive your shipment. In addition, it can be

10 very difficult to return a product if there is a problem.

영영풀이 ✏️ 다음 설명에 해당하는 단어를 윗글에서 찾아 넣으시오.

1 c _____ someone who buys goods or services from a shop, company, etc.

2 c _____ suitable for your purposes and needs and causing the least difficulty

3 d _____ a disadvantage of a situation, plan, product, etc.

1 윗글의 주제로 가장 적절한 것은? 〔주제 찾기〕

① 온라인 쇼핑의 문제점
② 온라인 쇼핑의 장단점
③ 온라인 쇼핑을 할 때 주의할 점
④ 온라인 쇼핑과 오프라인 쇼핑의 차이
⑤ 사람들이 온라인 쇼핑을 선호하는 이유

2 윗글의 빈칸에 들어갈 말로 가장 적절한 것은? 〔빈칸 완성〕

① save a lot of time and money
② buy a product at the lowest price
③ find a huge selection of products online
④ get information on the product you want to buy
⑤ get free shipping if you buy over a certain amount

3 What are the two disadvantages of online shopping? 〔세부 사항〕

❶ _____

❷ _____

VOCA 101	online a. 온라인의 ad. 온라인으로	customer n. 손님, 고객	prefer v. ~을 더 좋아하다
	convenient a. 편리한, 간편한	product n. 제품, 상품	purchase v. ~을 사다
	compare v. 비교하다	review n. 논평	drawback n. 단점, 약점
	shipment n. 배송품		

A 다음 설명에 해당하는 단어를 <보기>에서 골라 쓰시오.

<보기>   customer   sink   period   suffer   infect

1 _____ a particular length of time with a beginning and an end

2 _____ to go down below the surface of water, mud, etc.

3 _____ to give someone or something a disease

4 _____ to experience or show the effects of something bad

5 _____ someone who buys goods or services from a shop, company, etc.

B 다음 밑줄 친 단어와 유사한 의미의 단어를 고르시오.

1 The hurricane caused <u>damage</u> to the state of Florida.
  ① benefit   ② impact   ③ advantage
  ④ cost   ⑤ harm

2 No one knows the exact <u>cause</u> for the plane crash.
  ① case   ② reason   ③ result
  ④ trouble   ⑤ example

3 One of the <u>drawbacks</u> of traveling by airplane is the expensive fare.
  ① disadvantages   ② opinions   ③ patterns
  ④ situations   ⑤ purposes

C 다음 주어진 단어를 알맞게 배열하여 우리말과 같은 뜻이 되도록 영작하시오.

1 지진은 종종 건물을 파괴하고 많은 사람들을 죽인다.
  (often / many / earthquakes / and / kill / destroy / people / buildings)
  → _____

2 기근은 1845년에 나타나기 시작했고, 1852년까지 이어졌다.
  (appear / until / lasted / 1845 / 1852 / the famine / and / to / began / in)
  → _____

3 왜 소비자들이 온라인에서 쇼핑하기를 더 좋아한다고 생각하는가?
  (prefer / do / online / why / you / customers / think / shop / to)
  → _____

A 다음 빈칸에 알맞은 말을 <보기>에서 골라 쓰시오. 〔문맥에 맞는 어휘 고르기〕

<보기>   diseases   mood   patients   example   spit

1 Some _____ were waiting to see the dentist.

2 Please do not _____ on the road.

3 Stress can cause many _____.

4 Can you give me a(n) _____ of a noun?

5 My father was in a good _____ all day.

B 글의 흐름으로 보아, 주어진 문장이 들어가기에 가장 적절한 곳을 고르시오. 〔주어진 문장 넣기〕

The rhythm can help an injured person take a step, and then another.

Health care professionals use music to help patients improve their health. (①) Today many hospitals use music with medication to reduce pain. (②) There is evidence that music therapy can reduce high blood pressure, depression, and sleeplessness. (③) Music is also effective when someone is relearning how to walk. (④) Researchers are examining how music can cure diseases. Why don't you listen to cheerful music when you feel sad or depressed? It may make you feel happy. (⑤)

C 음원을 듣고 빈칸을 채우시오. [지문뽀개기-받아쓰기]

We all want to know what brings us _____ _____. This is especially true of sports players. _____ is a part of sports. Most players have their own ways of _____ bad luck. For example, few players will wear _____ _____ _____. For good luck, Michael Jordan wore his old college shorts under his Chicago Bulls uniform. Here are some _____ _____. Players say that these bring them good luck.

(A) Baseball

_____ _____ your hands before picking up the bat.

(B) Basketball

Bounce the ball _____ _____ before making a free throw.

(C) Fishing

Don't tell anyone _____ _____ _____ you have until you finish.

Doesn't it _____ _____ _____ _____ when your dog runs over to you and gives you a kiss? Even when someone is _____ _____ _____ _____, a pet can make him or her feel great! Health care workers use animals _____ _____ _____ sick people. It's called animal therapy. It can help people in a lot of ways. Animals can _____ _____ for people through physical contact. This helps to _____ _____. We use many kinds of animals such as dogs, cats, birds, and rabbits for animal therapy. They are very helpful.

A 다음 빈칸에 알맞은 말을 <보기>에서 골라 쓰시오. [문맥에 맞는 어휘 고르기]

<보기>   imagine   generally   make   unforgettable   absorbs

1 _____ you bring warm clothes tomorrow.

2 Cotton _____ sweat very well.

3 The TV show was _____ interesting.

4 My trip to Hong Kong was _____.

5 _____ that you have just won the lottery.

B 주어진 글 다음에 이어질 글의 순서로 가장 적절한 것을 고르시오. [글의 순서 정하기]

It's hard to imagine how anything can survive in the desert.

(A) They can survive because they are cold-blooded. Lizards absorb heat from the sun through their skin. Then, they change the heat into energy and store it in their bodies. As a result, lizards can survive for a long time without food.

(B) Food and water can be very hard to find in the desert. The heat during the day is so strong, and at night you can feel cold.

(C) However, it's also true that many animals and plants feel at home in the desert. For instance, many different types of snakes and lizards thrive in the hot weather.

① (A) – (B) – (C)   ② (B) – (A) – (C)   ③ (B) – (C) – (A)
④ (C) – (A) – (B)   ⑤ (C) – (B) – (A)

C 음원을 듣고 빈칸을 채우시오. 지문뽀개기-받아쓰기

Unit 02-01

Do you want ＿＿＿＿＿ ＿＿＿＿＿ ＿＿＿＿＿ ＿＿＿＿＿ to a desert? It would be an exciting adventure! But you have to ＿＿＿＿＿ ＿＿＿＿＿ ＿＿＿＿＿ ＿＿＿＿＿ when you travel to a desert. First of all, always make sure that you take ＿＿＿＿＿ ＿＿＿＿＿ with you. Drink at least one or two gallons of water ＿＿＿＿＿ ＿＿＿＿＿. It will be very hot and dry during the day. Also, wear a hat ＿＿＿＿＿ ＿＿＿＿＿ ＿＿＿＿＿ ＿＿＿＿＿ from the sun. However, it ＿＿＿＿＿ ＿＿＿＿＿ ＿＿＿＿＿ at night. So make sure that you bring enough warm clothes and wear them when you sleep. Finally, wear ＿＿＿＿＿ ＿＿＿＿＿ ＿＿＿＿＿. You don't want to get ＿＿＿＿＿ on your feet!

Unit 02-03

There are many school events during the year. In the United States, ＿＿＿＿＿ is a major event for high school students. They ＿＿＿＿＿ ＿＿＿＿＿ to have dinner and dance. Boys usually wear black or white suits, and girls ＿＿＿＿＿ ＿＿＿＿＿. Girls also wear a corsage ＿＿＿＿＿ ＿＿＿＿＿ ＿＿＿＿＿. Generally, their partners give it to them. Students ＿＿＿＿＿ ＿＿＿＿＿ their prom dresses from specialized shops. Sometimes a group of friends rents a limousine to go to the prom. The prom is not only an exciting event, but also an ＿＿＿＿＿ memory. Many students ＿＿＿＿＿ ＿＿＿＿＿ ＿＿＿＿＿ it. Some countries also hold an event ＿＿＿＿＿ ＿＿＿＿＿ prom for high school students.

Unit 03

A 다음 빈칸에 알맞은 말을 <보기>에서 골라 쓰시오. [문맥에 맞는 어휘 고르기]

| <보기> | create | community | influenced | contains | organized |

1 The event was _____ by the students.

2 The villagers held a meeting to discuss _____ problems.

3 Picasso was strongly _____ by African art.

4 You can easily _____ beautiful images with this new software.

5 This bag _____ some pairs of socks, and towels.

B 글의 흐름으로 보아, 주어진 문장이 들어가기에 가장 적절한 곳을 고르시오. [문장 삽입]

However, this first flash mob never took place because police sent many officers to the place and stopped people doing it.

A flash mob is a group of people who gather suddenly in a public place, do something unusual, and then disperse, fleeing quickly. (①) The term "flash mob" comes from "flash crowd" and "smart mob." "Flash crowd" means a great number of users attempting to access a web site at the same time. (②) "Smart mob" means a leaderless gathering that is organized using technologies such as cellphones, e-mail, and the web. (③) The flash mob phenomenon began in early 2003 in New York City. People organized the "Mob Project." (④) After another couple of tries, a flash mob was finally successful in New York. Flash mobs quickly spread throughout the world to Asia, Latin America, Australia, and Europe. (⑤)

C 음원을 듣고 빈칸을 채우시오. [지문뽀개기-받아쓰기]

Hip hop is a style of music. It began in _____ _____ communities of New York City during the early 1970's. The origins of this type of music developed from several other _____ of music. They include disco, reggae, funk, and so on. Hip hop artists mix rhymes over _____ _____ to create their songs. Hip hop music is now _____ _____ among young people all over the world. But hip hop culture _____ _____ more than just music. We can see its impact on the fashion industry, the art world, and _____ _____ _____.

Unit 03-02

Everyone knows that a healthy diet is good for our body. However, do you know that it can _____ _____ our brain power, too? It's true! One of the best foods to improve brain power is _____. Fish contains omega-3 fatty acids. This type of fat will help your brain function _____ _____ _____ _____. Scientists suggest that eating fish can help improve memory and _____ _____. There are also many other foods that are good for our brain. They are nuts, fruits, and vegetables. These foods have protein, lots of fiber, and _____ _____ that brains need. In addition, they also help _____ _____ and illness. How about changing _____ _____ _____ starting today?

Unit 03-03

A 다음 빈칸에 알맞은 말을 <보기>에서 골라 쓰시오. 문맥에 맞는 어휘 고르기

<보기>　　no longer　　uncooked　　origin　　last　　honored

1 The Olympics _____ for about two weeks.

2 Mr. Kim _____ lives in that house.

3 The man was _____ for his courageous act.

4 There is some _____ beef in the refrigerator.

5 Many English words are French in _____.

B 주어진 글 다음에 이어질 글의 순서로 가장 적절한 것을 고르시오. 글의 순서 정하기

Two strange children were found near Banjos, Spain in 1887. One was a boy, and the other was a girl. They were screaming in an unknown language, wearing strange metallic clothes, and their skin was green.

(A) The girl lived for five years after she was found, and during that time her skin slowly lightened to a Caucasian tone. She also learned Spanish and told about her origins. She said that she and her brother had come from a land with green-skinned people, and there was a place of darkness without the sun.

(B) The children refused to eat or drink anything at first. The girl finally began to eat some uncooked vegetables, yet the boy didn't have a bite so he died soon.

(C) With her death, any hope of solving the mystery faded. Still today, the story of green children of Banjos fascinates people of all ages.

① (A) − (B) − (C)　　　　② (B) − (A) − (C)　　　　③ (B) − (C) − (A)
④ (C) − (A) − (B)　　　　⑤ (C) − (B) − (A)

C 음원을 듣고 빈칸을 채우시오. 지문뽀개기-받아쓰기

Unit 04-01

Antarctica is a cold, dry land. But that _____ _____ people don't live there. The people in Antarctica are mainly _____ _____ _____. Researchers from all over the world do important scientific tests on the land. Most of the scientists _____ their research during the summer. The summer in Antarctica _____ from October to March. Most of the researchers go back home after the summer ends. The sun _____ _____ _____ on the region during the winter. Doing research is _____ _____ because of this. There are no permanent residents on the land _____ _____ the Emperor Penguin!

Unit 04-02

Waterfalls are nature's beautiful landmarks. Do you know what _____ _____ _____ waterfall is? It is in Canaima National Park in Venezuela. An American pilot, Jimmy Angel, _____ _____ the falls in 1937, so we call it Angel Falls _____ _____ him. How high is Angel Falls? It is 3,212 feet high! That's around 500 feet _____ _____ the world's tallest building. _____ _____, Angel Falls is one of Venezuela's top _____ _____. It is in the jungle. Because of this, it is very difficult to travel to the falls. Only _____ _____ _____ people will ever get the chance to see this great natural wonder.

A 다음 빈칸에 알맞은 말을 <보기>에서 골라 쓰시오. 문맥에 맞는 어휘 고르기

<보기> deserves   appeared   ethical   formal   attracts

1 The writer _____ an award.

2 Is it _____ to use animals in scientific tests?

3 The actress has _____ in over 10 movies.

4 The beautiful city _____ many tourists every year.

5 My father always wears a suit and tie to a(n) _____ event.

B 글의 흐름으로 보아, 주어진 문장이 들어가기에 가장 적절한 곳을 고르시오. 주어진 문장 넣기

> The Gold Rush even attracted a lot of people from Latin America, Europe, and China.

In the middle of the 19th century, gold was discovered in California. (①) The discovery created excitement. (②) Close to 30,000 men, women, and children traveled to California to find their fortune. (③) Many small towns such as San Francisco quickly became larger because these treasure seekers needed a place to live. (④) The population of San Francisco increased from about 1,000 in 1848 to 25,000 in 1850. (⑤) In the end, a few people could make a lot of money, but most others returned home without any gold at all. The Gold Rush in California ended around 1855.

C 음원을 듣고 빈칸을 채우시오. 지문뽀개기-받아쓰기

Unit 05-01

Do Scottish men wear skirts? _____ _____, they don't. Scottish men wear kilts, not skirts. The kilt is part of the _____ dress in Scotland. Traditionally Scottish men wear kilts with other clothes and _____ such as a jacket, socks, special footwear, and a weapon. It is easy _____ _____ someone wearing a kilt because of its special tartan or _____ _____. Each pattern is _____! Kilts first appeared in the 16th century, and the style _____ _____ over the years. Nowadays, most men in Scotland wear kilts only _____ _____ _____, much like a tuxedo in America or hanbok in Korea.

Unit 05-03

There are two types of hackers: _____ _____, who deserve to use the title "hacker", and criminals, who hurt people through cyberspace. Ethical hackers are _____ _____ computer professionals who _____ _____ _____ from young teenagers to older adults. Organizations concerned about their own _____ _____ hire them. Ethical hackers will, with your permission, try to _____ _____ your site to find the weaknesses, and then help you _____ _____. Ethical hackers also are software developers who write security and firewall software. Bad hackers, _____ _____ _____ _____, are usually teens or early twenties who break into other people's computer systems, usually for _____ _____, thrills or the challenge of doing something dangerous.

A 다음 빈칸에 알맞은 말을 <보기>에서 골라 쓰시오. 문맥에 맞는 어휘 고르기

<보기>	huge	important	hosted	warned	poisonous

1 Korea has _____ several international sports events.

2 "You'd better not go out now. It's too dangerous," he _____.

3 Do not eat these mushrooms. They're _____.

4 I saw a(n) _____ whale swimming below our ship.

5 I have a(n) _____ meeting today.

B 주어진 글 다음에 이어질 글의 순서로 가장 적절한 것을 고르시오. 글의 순서 정하기

Tropical rainforests are home to many different types of animals. Some of the animals are very strange.

(A) For example, poison dart frogs are active during the day, unlike most frogs. Most poison dart frogs are tiny. They are about 1.5 to 6 centimeters long.

(B) For example, the Blue Poison Dart Frog has bright blue skin. It uses its color to warn other animals that it is very poisonous.

(C) They are also very colorful. They may look cute, but they can be very dangerous! Many of them have deadly poisons in their skin. This poison protects them from dangerous, hungry predators.

① (A) – (B) – (C)　　　② (A) – (C) – (B)　　　③ (B) – (A) – (C)

④ (B) – (C) – (A)　　　⑤ (C) – (A) – (B)

C 음원을 듣고 빈칸을 채우시오. 지문뽀개기-받아쓰기

Unit 06-01

Did you know that a penguin is a bird? A penguin really is a bird, but it _____ _____. Most penguins live in the Antarctic, but some of them live in the _____ regions. Penguins like to swim in the ocean. They spend about half of their lives _____ _____ _____ _____ to find food. They use their wings to swim faster. They _____ love to eat squid. A _____ _____ of feathers keeps them warm. This is important because most types of penguins live in Antarctica, and they swim in _____ _____.

Unit 06-02

What images _____ _____ _____ when you think of New York City? Perhaps you imagine the Empire State Building, the Statue of Liberty, or Times Square. Of course you do. After all, New York City is a _____ _____! However, did you know that there is a huge park _____ _____ _____ of the city? That's right. It's Central Park. It has several large ponds, many _____ _____, and even a zoo. It also has two large _____ _____ _____, and they open in the winter. My _____ _____ is the Delacorte Theater. Each year it hosts "Shakespeare in the Park." When I was in New York last summer, I had a _____ _____ _____ A Midsummer Night's Dream. It was magical!

A 다음 빈칸에 알맞은 말을 <보기>에서 골라 쓰시오. 　문맥에 맞는 어휘 고르기

<보기>　appeared　　consider　　abandoned　　entire　　stung

1 The _____ staff is absent today.

2 Many people _____ the price too high.

3 The child was _____ by a bee.

4 The ghost village has been _____ for over 40 years.

5 The first civilization _____ around 3000 B.C.E.

B 글의 흐름으로 보아, 주어진 문장이 들어가기에 가장 적절한 곳을 고르시오. 　주어진 문장 넣기

In fact, some volcanic eruptions did destroy entire forests!

Did you ever see a volcano erupt? An erupting volcano is an impressive sight! (①) Volcanoes are actually mountains. But unlike regular mountains, magma, hot liquid rock, is under them. (②) When the pressure builds inside of the volcano, it erupts. (③) The eruption sends gases, ash, and rock up into the air. (④) Red hot lava is very dangerous, and it can destroy everything in its path. (⑤) If you're interested in seeing one, you should visit Hawaii. The world's largest active volcano, Mauna Loa, is in Hawaii.

C 음원을 듣고 빈칸을 채우시오. [지문뽀개기-받아쓰기]

He _____ like a butterfly and _____ like a bee. His name is Muhammad Ali! His original name is Cassius Marcellus Clay Jr. Many people consider him to be the greatest boxer _____ _____ _____. He was the World Heavyweight Champion _____ _____. His most memorable fight took place on October 30, 1974. The fight was _____ "Rumble in the Jungle." Ali _____ champion George Foreman to regain the World Heavyweight Championship belt. _____ _____ thought Ali could defeat Foreman, but Ali's "Rope-a-Dope" strategy quickly made George Foreman _____. Finally, Ali won the fight. It was one of boxing's _____ _____ _____.

Dear Whitney,

We're finally here in Machu Picchu! My family and I got here yesterday after _____ _____ _____ in the capital of Peru, Lima. I have to say that this is the most beautiful place _____ _____ _____. The history behind the "_____ _____" is fascinating. Machu Picchu was built between 1460 and 1470, and _____ by the Incans, the local residents, when the Spanish arrived. It _____ _____ _____ until an American discovered it in 1911.

Machu Picchu is almost 3,000m _____ _____ _____! But when you arrive at the top, you will know it is _____ climbing up that high. _____ _____ from the top of Machu Picchu is _____! The royal estate itself is amazing, too. There are temples, houses, and a _____ _____ _____ that are the evidence of _____.

I promise I'll write you again in a few days. Bye for now!
Your friend,
Katie

A 다음 빈칸에 알맞은 말을 <보기>에서 골라 쓰시오. 문맥에 맞는 어휘 고르기

<보기>   back and forth   definitely   advertise   scared   public

1 The little girl was _____ of the giant dog.

2 The swing was moving gently _____ in the breeze.

3 You _____ need a good sleep.

4 Many people use _____ transportation when oil prices are high.

5 They hired a sports star to _____ their new product.

B 주어진 글 다음에 이어질 글의 순서로 가장 적절한 것을 고르시오. 글의 순서 정하기

Graffiti is writing or drawings done on the walls of buildings without permission. Police officers often arrest people who damage public property with graffiti.

(A) As time passed, it became more accepted as an art form by the general public. In the United States, many graffiti artists take part in making designs on skateboards, clothes, and shoes.

(B) Some believe that it is an art form, and others believe that it is just vandalism. Graffiti can be found in almost every city around the world! Graffiti is usually very colorful, and it takes a lot of effort to plan the design.

(C) Even large companies such as IBM and SONY have used graffiti to advertise their products. Art galleries and museums have started to display graffiti as artwork.

① (A) – (B) – (C)   ② (B) – (A) – (C)   ③ (B) – (C) – (A)
④ (C) – (A) – (B)   ⑤ (C) – (B) – (A)

C 음원을 듣고 빈칸을 채우시오. [지문뽀개기-받아쓰기]

I _____ boarding school. In the first year, I was kind of scared. It was my first time to be _____ _____ _____. But when I got to the school, everyone was _____ _____. On the first day, we had a big party. The headmaster _____ _____ _____ to the school. He was very nice. He told several funny jokes, and _____ _____ _____. It made me feel a lot better. Now I love my school life. I'm living in _____ _____ and sharing a room with three other friends. The teachers are very kind, and they always help me _____ _____ _____. I am enjoying boarding school!

Unit 08-01

What sports come to mind when you _____ _____ Canada? Skiing, sure. Ice hockey, definitely! How about lacrosse? Lacrosse is actually _____ _____ _____ of Canada. Players use a special stick _____ a "crosse." It has a basket _____ _____. They pass a hard ball _____ _____ _____ with it. The goal of the game is to get the ball into _____ _____ _____ _____. Like in soccer, only goalkeepers can touch the ball _____ _____ _____. Lacrosse is a very tough sport. In fact, North American _____ invented lacrosse to train for war!

Unit 08-02

A 다음 빈칸에 알맞은 말을 <보기>에서 골라 쓰시오. [문맥에 맞는 어휘 고르기]

<보기> cultures   popular   experience   entertained   polite

1 I remember that Mr. Park was a(n) _____ young man.

2 She has 5 year's _____ as a lawyer.

3 It is useful to learn about foreign _____.

4 My grandmother _____ us with many stories.

5 The boy band is very _____ among teens.

B 글의 흐름으로 보아, 주어진 문장이 들어가기에 가장 적절한 곳을 고르시오. [주어진 문장 넣기]

You will disturb people if your phone rings.

We all use cellular phones. (①) They are a necessity in today's modern world. However, you should always be polite when you use your cellular phone in a public place. (②) First, don't speak too loudly. (③) Phone technology is much better than it used to be. You don't need to yell into your phone! Second, turn off your phone when you go to a movie theater. (④) Third, don't use your cellular phone while you are driving a car. It can be dangerous and might result in a car accident. Finally, it's rude to take a call when you are in a conversation with somebody. (⑤) Instead, let your voicemail system take a message, and call back at a more appropriate time.

C 음원을 듣고 빈칸을 채우시오. [지문뽀개기-받아쓰기]

_____ _____ _____ _____ a chance to travel on _____ _____ _____? It can be very exciting! Cruise ships are like hotels. They offer all sorts of services like swimming pools, restaurants, and _____ _____. They also have live comedy and music performances to _____ _____ in the evenings. Great cooks are ready to make _____ _____ for the guests. In addition, many of the ships stop at _____ islands. On these islands, you can try snorkeling, windsurfing, sailing, and many other _____ _____. A trip on a cruise ship can be a _____ _____.

Unit 09-01

Jazz music _____ in the southern United States in the early twentieth century. The music was _____ _____ both African and European music, and it _____ _____ _____ by several styles of music like hymns and blues. Jazz began to travel across the United States in the 1920's and _____ _____ in large cities such as New York and Chicago. Jazz was more than just a musical genre for people. It _____ _____ _____ on American culture. It also helped to _____ _____ from different races and cultures. The music made strong statements about _____, _____, and American identity. Today, jazz has spread _____ _____ _____ _____, and it is one of the most popular music styles in the world.

Unit 09-03

A 다음 빈칸에 알맞은 말을 <보기>에서 골라 쓰시오. 〔문맥에 맞는 어휘 고르기〕

<보기>	was full of	failure	prefer	rotting	landscape

1 My sister likes to paint a _____.

2 The sink _____ dirty dishes.

3 I couldn't stand the smell of _____ garbage.

4 The new album was a _____.

5 I _____ apple juice to cola.

B 주어진 글 다음에 이어질 글의 순서로 가장 적절한 것을 고르시오. 〔글의 순서 정하기〕

The Great Irish Potato Famine caused great hardship for the Irish people. The famine began to appear in 1845 and lasted until 1852.

(A) Potatoes were the main source of food for the Irish people. The crop failure caused mass starvation throughout the country.

(B) About one million people died of starvation and diseases, and another one million left their homeland for Great Britain, Canada, and the United States. As a result, the Irish population was reduced by almost twenty-five percent during this period.

(C) The primary cause of the famine was the failure of the potato crop. A potato disease known as "potato blight" infected the crops. This caused the potatoes to rot.

① (A) – (C) – (B)　　　　② (B) – (A) – (C)　　　　③ (B) – (C) – (A)
④ (C) – (A) – (B)　　　　⑤ (C) – (B) – (A)

C 음원을 듣고 빈칸을 채우시오. [지문뽀개기-받아쓰기]

_____ are dangerous. They often _____ buildings and kill many people. In 1960, an earthquake caused a huge amount of damage in southern Chile. It _____ 9.5 on the Richter scale. It is the most powerful earthquake _____ _____. The towns of Valdivia and Puerto Montt in Chile _____ major damage during the disaster because they were _____ _____ the earthquake. However, it destroyed not just homes and buildings. Landslides and falling rocks from nearby mountains _____ _____ the landscape of the area. After the earthquake, part of the ground around the area _____ _____ the ocean, and was full of seawater.

Online shopping has become very popular. _____ _____ _____ _____ customers prefer to shop online? First of all, it is very _____. Online stores are open twenty-four hours a day. You can find a _____ _____ of products online. For instance, you can purchase clothes, books, and _____ _____ from online stores. It's very easy to _____ _____, and you can find lots of _____ _____ online to help you choose a product. However, there are _____ _____. It could take a couple of days to receive _____ _____. In addition, it can be very difficult to _____ a product if there is a problem.

MEMO

LEVEL CHART

초1	초2	초3	초4	초5	초6	중1	중2	중3	고1	고2	고3

VOCA

초등필수 영단어 1-2 · 3-4 · 5-6학년용
The VOCA + (플러스) 1~7
THIS IS VOCABULARY 입문 · 초급 · 중급   고급 · 어원 · 수능 완성 · 뉴텝스
WORD FOCUS 중등 종합 5000 · 고등 필수 5000 · 고등 종합 9500

Grammar

초등필수 영문법 + 쓰기 1~2
OK Grammar 1~4
This Is Grammar Starter 1~3
This Is Grammar 초급~고급 (각 2권: 총 6권)
Grammar 공감 1~3
Grammar 101 1~3
Grammar Bridge 1~3
중학영문법 뽀개기 1~3
The Grammar Starter, 1~3
구사일생 (구문독해 Basic) 1~2
구문독해 204 1~2
그래머 캡처 1~2
[특급 단기 특강] 어법어휘 모의고사

READING 101

한번에 끝내는 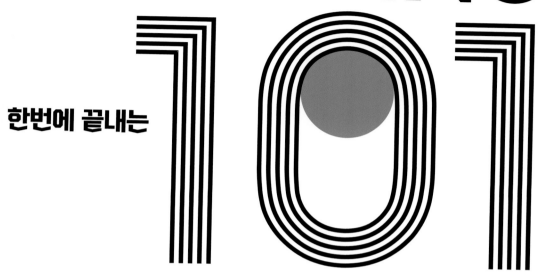 중등 영어 독해

영어교육연구소 지음

LEVEL
1

정답 및 해설

NEXUS Edu

정답 및 해설

01 | SPORTS
p.13

1 ②   **2** ⓐ have ⓒ are   **3** ⑤

4 (A) Baseball (B) Basketball (C) Fishing

우리 모두는 무엇이 우리에게 행운을 가져다주는지 알고 싶어 한다. 이는 특히 운동선수들에게 더욱 그렇다. 미신은 스포츠의 일부이다. 대부분 운동선수는 불운을 피하는 자신만의 방법이 있다. 예를 들어, 13번이 적힌 옷을 입으려는 선수는 거의 없을 것이다. 마이클 조던은 행운을 위하여 시카고 불스 유니폼 안에 낡은 대학교 반바지를 입었다. 사례를 조금 더 소개하겠다. 선수들은 다음의 것들이 자신들에게 행운을 가져다준다고 말한다.

(A) 야구
야구방망이를 잡기 전에 손에 침을 뱉어라.

(B) 농구
자유투를 하기 전에 공을 세 번 튀겨라.

(C) 낚시
낚시가 끝나기 전에는 물고기를 얼마나 가졌는지(잡았는지) 말하지 마라.

| 문제 해설 |

1 미신 중에서도 특히 스포츠에 관련된 미신에 대해 설명한 글이다.
① 대학 스포츠   ② 스포츠 미신   ③ 숫자 13
④ 불운을 피하는 법   ⑤ 세 가지 인기 있는 스포츠

2 ⓐ Most players는 복수이므로 have가 들어가는 것이 적절하다. ⓒ 「Here is[are] ~.」의 주어는 here가 아니라 be동사 뒤에 나온다. some more examples는 복수이므로 are가 들어가는 것이 적절하다.

3 대부분의 선수가 불운을 피하는 자신만의 방법이 있다고 말하고 13번이 적힌 옷은 입지 않는다는 예를 들고 있으므로 For example이 들어가는 것이 적절하다.
① 그래서   ② 그러나   ③ 그러므로
④ 다행히도   ⑤ 예를 들어

4 (A) bat은 '야구방망이'이므로 야구(baseball)이다. (B) free throw는 '자유투'이고, 공을 튀긴다고 했으므로 낚시나 야구는 답이 될 수 없다. 따라서 농구(basketball)이다. (C) fish는 '물고기'이므로 낚시(fishing)이다.

| 영영풀이 |

1 superstition: 미신

2 avoid: 피하다

3 uniform: 유니폼, 제복

| 구문풀이 |

1행 We all want to know <u>what brings us good luck.</u>

간접의문문은 의문문이 다른 문장의 일부가 되어 있는 것을 말한다. 의문사가 주어인 간접의문문은 「의문사 + 동사」의 순서로 쓴다.

2행 Most players have their own <u>ways of avoiding</u> bad luck.

way는 '방법'이라는 뜻이다. 「way of -ing」는 '~하는 방법'이라는 뜻이다. of는 전치사이므로 뒤에 명사가 와야 한다. 따라서 동명사 avoiding이 왔다.

3행 For example, <u>few</u> players will wear the number 13.

수량형용사 few는 셀 수 있는 명사를 수식하여 '거의 없는'이라는 뜻으로 쓰인다.

8행 Spit into your hands <u>before</u> picking up the bat.

before는 '~전에'라는 뜻의 전치사로 쓰여서 뒤에 명사형인 동명사가 왔다. before는 접속사로도 쓰이므로 뒤에 「주어 + 동사」로 이루어진 절이 올 수 있다.

12행 Don't tell anyone <u>how many fish you have until you finish.</u>

의문사가 있는 간접의문문은 「의문사 + 주어 + 동사」의 순서로 쓴다. 원래의 의문문은 How many fish do you have?이다. how many는 수의 많고 적음을 물을 때 쓴다.

02 | MUSIC
p.15

1 ③   **2** ④   **3** ②

4 ⓐ is ⓑ help

의료서비스 전문가들은 환자들의 건강 개선을 돕기 위해서 음악을 사용한다. 오늘날 많은 병원에서 통증을 줄이기 위해서 약물치료와 음악을 함께 사용한다. 음악 치료법이 고혈압, 우울증, 불면증을 감소시킬 수 있다는 증거가 있다. 음악은 또한 걷는 법을 다시 배우는 사람에게 효과적이다. (신생아는 걷지 못한다.) 음악의 리듬은 상처를 입은 사람이 한 발, 또 한 발 내딛는 것을 도울 수 있다. 연구원들은 음악이 어떻게 질병을 치료할 수 있는지 연구 중이다. 슬프거나 우울할 때 경쾌한 음악을 듣는 것이 어떤가? 당신을 행복하게 만들어줄지도 모른다.

| 문제 해설 |

1 치료 목적으로 쓰이는 음악의 효과에 대한 글이므로 ③이 가장 적절한 제목이다.
① 내가 가장 좋아하는 음악 목록   ② 음악을 듣는 법
③ 질병을 치료하는 음악   ④ 병원과 환자
⑤ 불면증에 좋은 음악 목록

2 음악이 여러 건강 문제에 도움을 준다는 내용이다. 신생아가 걷지 못한다는 내용은 이 글의 주제와 관련이 없는 내용이다.

3 음악 치료법은 고혈압, 우울증, 불면증을 감소시킬 수 있고, 통증을 줄이기 위해서도 사용되고 있다. 암에 효과적이라는 말은 언급되지 않았다.

4 ⓐ someone은 단수이므로 are를 is로, ⓑ 조동사 뒤에는 동사원형이 와야 하므로 helps를 help로 고쳐야 한다.

| 영영풀이 |

1 improve: 개선하다

2 reduce: 줄이다

3 cure: 치료하다

| 구문풀이 |

1행 Health care professionals use music to <u>help</u> patients (to) <u>improve</u> their health.
help는 '~가 …하는 것을 돕다'라는 뜻의 준사역동사로 쓰였고 목적격 보어로 동사원형과 to부정사를 모두 취한다.

6행 Music is also effective when someone is relearning <u>how to walk</u>.
「how +to부정사」는 '~하는 법', '어떻게 ~하는지'라는 뜻이다. how to walk는 '걷는 법'이라고 해석한다.

8행 Researchers are examining <u>how music can cure disease</u>.
간접의문문은 의문문이 다른 문장의 일부가 되어 있는 것을 말한다. 의문사가 있는 간접의문문은 「의문사 + 주어 + 동사」의 순서로 쓴다.

9행 <u>Why don't you</u> listen to cheerful music when you feel sad or depressed?
「Why don't you ~?」는 '~하는 게 어때?'라는 뜻으로 상대방에게 권유할 때 쓴다. 「Why don't we ~?」는 '(함께) ~하는 게 어때?'라는 뜻으로 「Let's ~」, 「How about -ing?」, 「Shall we ~?」와 같은 뜻이다.

---

03 | ANIMALS
p.17

1 ③	2 to cheer up sick people
3 ⑤	4 ④

당신의 개가 당신에게 달려들어 뽀뽀할 때 기분이 좋아지지 않는가? 기분이 안 좋을 때조차도 애완동물은 그 사람의 기분을 좋게 해줄 수 있다! 의료서비스 종사자들은 아픈 사람의 기운을 북돋기 위해서 동물을 이용한다. 그것은 동물 치료법이라고 불린다. 이것은 사람들을 여러 방면으로 도울 수 있다. 동물은 신체 접촉을 통해 사람들에게 위안을 줄 수 있다. 이는 외로움을 덜어주는 데 도움이 된다. 우리는 개, 고양이, 새, 그리고 토끼 등과 같은 동물을 동물 치료법에 이용한다. 이 동물들은 매우 도움이 된다.

| 문제 해설 |

1 밑줄 친 ⓐ make는 '~에게 …을(를) 시키다'라는 의미의 사역동사이다. ①, ②, ⑤는 '만들다', ④는 '(돈을) 벌다'라는 뜻으로 쓰였다.
① 그는 바로 지금 저녁을 만들고 있다.
② 수업 중에는 시끄럽게 하지 마라.
③ 우리 어머니는 내게 방을 청소하라고 시켰다.
④ 당신은 한 달에 얼마나 많은 돈을 법니까?
⑤ 우리 오빠와 나는 해변에서 모래성을 만들었다.

2 '~하기 위해서'라는 의미를 나타내는 부사구는 to부정사를 써서 나타낸다. 따라서 to cheer up sick people이 적절하다.

3 밑줄 친 it이 많은 사람들에게 도움을 주고 있다고 했으므로, 앞에서 설명한 animal therapy를 지칭하는 것이 가장 적절하다.
① 키스   ② 누군가   ③ 외로움
④ 의료 서비스 종사자   ⑤ 동물 치료법

4 동물 치료법은 환자들이 편안함을 느끼게 하고 <u>덜 외롭게 해</u>준다.
① 애완동물 – 나쁜
② 야생동물 – 행복한
③ 의료 서비스 종사자 – 외로운
④ 동물 치료법 – 덜 외로운
⑤ 변호사 – 가난한

| 영영풀이 |

1 therapy: 치료법

2 provide: 제공하다

3 contact: 접촉

| 구문풀이 |

1행 Doesn't it make you feel good <u>when</u> your dog <u>runs</u> over to you *and* gives you a kiss?
when은 시간의 접속사로 '~할 때'라는 뜻이다. when이 이끄는 부사절의 주어는 your dog이고 동사는 runs와 gives이다.

두 개의 동사구는 등위접속사 and로 연결되었다.

9행 It's called animal therapy.
It은 앞 문장에서 설명한 '아픈 사람의 기운을 북돋기 위해서 동물을 이용하는 것'을 가리킨다. call은 '부르다'라는 뜻으로, 수동태로 쓰여서 '~라고 불리다'라고 해석한다.

12행 We use many kinds of animals such as dogs, cats, birds, and rabbits for animal therapy.
such as는 '이를테면', '~와 같은'이라는 의미로 예를 들 때 쓰인다. 등위접속사가 셋 이상의 단어, 구, 절을 나열할 때에는 쉼표(,)로 연결하고, 마지막 것 앞에만 접속사를 쓴다.

Review Test p.18

A
1 therapy   2 superstition   3 cure
4 avoid   5 contact

B
1 ⑤   2 ②   3 ⑤

C
1 Bounce the ball three times before making a free throw. / Before making a free throw, bounce the ball three times.
2 Researchers are examining how music can cure diseases.
3 It can help people in a lot of ways.

A
1 therapy: 치료법
2 superstition: 미신
3 cure: 치료하다
4 avoid: 피하다
5 contact: 접촉

B
1 example: 예(= instance)
   이 박물관은 현대 건축의 좋은 예이다.
2 reduce: 줄이다(= relieve)
   이 약은 고통을 금방 줄일 것이다.
3 kind: 종류(= sort)
   우리 남동생은 모든 종류의 곤충을 좋아한다.

C
1 three times: 세 번
2 간접 의문문 어순: 의문사 + 주어 + 동사
3 in a lot of ways: 다양한 방식으로

01 | TRAVEL p.21

1 ④	2 to take	3 ⑤	4 ①

사막을 여행하고 싶은가? 그것은 흥미진진한 모험이 될 것이다! 그러나 사막을 여행할 때에는 몇 가지를 기억해야 한다. 먼저, 충분한 물을 가져가야 한다는 것을 항상 명심해야 한다. 하루에 적어도 1~2갤런의 물을 마시도록 하라. 낮에는 매우 덥고 건조할 것이다. 또한, 태양으로부터 얼굴을 보호하려면 모자를 써라. 그러나 밤에는 매우 추워진다. 그러므로 따뜻한 옷을 충분히 챙겨가서 잘 때 입도록 하라. 마지막으로 좋은 하이킹 부츠를 신어라. 당신은 발에 물집이 잡히는 것을 원치 않을 것이다!

| 문제 해설 |

1 이 글은 사막여행을 계획하는 사람에게 여러 가지 상황에 대비할 수 있도록 조언하는 글이다. ①, ⑤는 본문에서 언급된 내용이지만 글 전체를 포괄하는 내용은 아니다.

2 동사 want는 목적어로 to부정사를 취한다.

3 사막은 낮에는 몹시 덥고 태양이 뜨겁다는 설명을 한 후에 잘 때는 따뜻한 옷을 입으라고 했으므로, 사막은 밤에 추워진다는 문장이 (E)에 들어가는 것이 적절하다.

4 빈칸이 있는 문장 바로 앞에서 좋은 하이킹 부츠를 신으라고 조언하고 있다. 이것은 발(feet)에 물집이 생기는 것을 방지하기 위함이다.
① 발   ② 팔   ③ 머리
④ 손   ⑤ 배

| 영영풀이 |

1 desert: 사막
2 adventure: 모험
3 protect: 보호하다

| 구문풀이 |

1행 Do you *want* to take a trip to a desert?
동사 want는 목적어로 to부정사를 취한다. 이와 같은 동사로는 hope(희망하다), decide(결정하다), expect(기대하다), promise(약속하다) 등이 있다. 목적어로 동명사를 취하는 동사로는 avoid(피하다), enjoy(즐기다), finish(끝내다), give up(포기하다), mind(싫어하다) 등이 있다.

3행 But you have to remember a few things when you travel to a desert.
have to는 의무를 나타내는 조동사 must와 같은 뜻으로 '~해야 한다'라고 해석한다. a few는 셀 수 있는 명사를 수식해서 '조금', '약간'이라고 해석한다.

6행 Drink at least one or two gallons of water per day.

명령문은 주어 you를 생략하고 동사원형으로 시작한다.
부정명령문은 「Not[Never] + 동사원형」이다. per는 '~마다',
'매 ~'라는 뜻으로 a로 바꾸어 쓸 수 있다.
e.g. Around three million people visit the park a[= per] year.
　　한 해에 약 300만 명이 그 공원을 찾는다.

8행　Also, wear a hat to <u>protect</u> your face <u>from</u> the sun.
「protect *A* from *B*」는 '*A*를 *B*로부터 보호하다'라는 뜻이다.

10행　So make sure that you bring enough warm *clothes* and wear <u>them</u> when you sleep.
대명사 them은 앞에서 나온 (enough warm) clothes이다. 대명사가 앞에 나온 명사를 대신할 경우, 명사의 수를 일치시키는 것이 중요하다.

02 | ANIMALS　　　　　　　p.23

1 ③　　　**2** ③　　　**3** ④
4 뱀과 도마뱀이 냉혈동물이기 때문에

사막에서는 무엇이든 어떻게 살아남을 수 있을지 상상하기 어렵다. 사막에서는 음식과 물을 찾기 매우 어려울 수 있다. 낮 동안에는 열기가 매우 강하고, 밤에는 추울 것이다. 그러나 많은 동물과 식물이 사막에서 편안함을 느끼는 것 또한 사실이다. 예를 들어, 많은 종류의 뱀과 도마뱀이 뜨거운 날씨에서 살아가고 있다. 그들은 냉혈동물이기 때문에 살아남을 수 있다. 도마뱀은 피부를 통해 태양으로부터 열을 흡수한다. 그리고 그 열을 에너지로 바꾸어 몸에 저장한다. 그 결과 도마뱀은 오랫동안 음식이 없이도 생존할 수 있다.

| 문제 해설 |

1　윗글은 뱀과 도마뱀의 예를 들어 사막에서 사는 동물들에 관해 이야기하고 있다.
　① 냉혈동물
　② 유명한 도마뱀 그림들
　③ 사막에 사는 동물
　④ 열을 에너지로 바꾸는 방법
　⑤ 동물들이 사막에서 생존할 수 없는 이유

2　주어진 문장은 역접의 부사 However로 시작하고 있으므로 주어진 문장의 앞에는 사막에서 살기 어려운 이유에 대한 내용이 나오고, 주어진 문장 뒤에는 사막에서 잘 사는 동물에 대한 내용이 나오는 것이 알맞다. 따라서 주어진 문장이 (C)에 들어가는 것이 적절하다.

3　빈칸 앞과 뒤의 내용이 원인과 결과이므로, 결과를 나타낼 때 쓰는 As a result(결과적으로)가 들어가는 것이 적절하다.

① 우선　　　　　② 그러나　　　　　③ ~에도 불구하고
④ 결과적으로　　⑤ 불행히도

4　They can survive because they are cold-blooded를 통해서 뱀과 도마뱀이 사막에서 생존할 수 있는 이유가 냉혈동물이기 때문이라는 것을 알 수 있다.

| 영영풀이 |

1　thrive: 번성하다
2　survive: 살아남다
3　store: 보관하다

| 구문풀이 |

1행　It's hard *to imagine how anything can survive in the desert*.
문장의 주어가 너무 길어지는 경우에 의미적인 주어(진주어)를 뒤로 보내고, 그 대신 it을 사용하여 형식적인 주어 역할을 하게 하는데, 이것을 가주어 it이라고 한다. 진주어는 to imagine … the desert이다.

3행　The heat *during the day* <u>is</u> so strong, and at night you can feel cold.
절과 절을 접속사 and로 연결한 문장이다. 첫 번째 절의 주어는 The heat이고 동사는 is이다. during the day는 주어를 수식하는 전치사구이다.

6행　Then, they <u>change</u> *the heat* <u>into</u> *energy* and store it in their bodies.
「change *A* into *B*」는 '*A*를 *B*로 바꾸다'라는 뜻이다.

03 | SCHOOL LIFE　　　　　p.25

1 ③　　　　　**2** a corsage　　　　**3** ③
4 ⑤

한 해 동안 많은 학교 행사가 있다. 미국에서는 졸업파티가 고등학생들에게 가장 중요한 행사이다. 그들은 모여서 저녁을 먹고 춤을 춘다. 남학생들은 검은색이나 흰색 정장을 입고 여학생들은 드레스를 입는다. 여학생들은 또한 손목에 꽃 장식을 달기도 한다. 일반적으로 파트너가 그것을 준다. 학생들은 보통 전문 매장에서 프롬 드레스를 대여한다. 때로는 한 무리의 친구들이 졸업파티 장소로 가기 위해 리무진을 빌리기도 한다. 졸업파티는 흥미진진한 행사일 뿐만 아니라 잊지 못할 추억이기도 하다. 많은 학생이 졸업파티를 학수고대한다. 몇몇 나라에도 고등학생들을 위한 졸업파티와 비슷한 행사가 열린다.

1 Students usually rent their prom dresses from specialized shops를 통해서 학생들이 프롬 드레스를 사지 않고 보통 빌린다는 것을 알 수 있다.

2 파트너가 '그것(it)'을 준다고 했으므로, it은 앞 문장에서 나온 a corsage라는 것을 알 수 있다.

3 문맥 상 '잊지 못할 추억(unforgettable memory)'이라는 말이 되어야 자연스럽다.
   ① 드레스   ② 친구   ③ 추억
   ④ 식사   ⑤ 사진

4 마지막 문장에서 다른 나라에도 졸업파티와 비슷한 행사가 있다고 했으므로 다른 나라의 졸업파티에 대한 설명이 이어지는 것이 적절하다.

| 영영풀이 |

1 similar: 비슷한

2 rent: 대여하다

3 major: 주요한

| 구문풀이 |

1행 <u>There are many school events</u> during the year.
「There is[are] ~.」 구문의 주어는 there이 아니라 be동사 뒤에 나오는 명사이다. many school events는 복수이므로 be동사의 복수형 are가 쓰인다.

8행 Girls also wear a corsage <u>on</u> their wrist.
전치사 on은 '가지고 있음', '붙어 있음'의 의미를 가지고 있어서 옷, 모자, 장신구 등을 착용하고 있음을 의미할 때 쓰인다.
e.g. She has a ring <u>on</u> her little finger. 그녀는 새끼손가락에 반지를 끼고 있다.

9행 Students usually <u>rent</u> their prom dresses <u>from</u> specialized shops.
「rent A from B」는 'B에게서 A를 빌리다'라는 뜻이다.

11행 The prom is <u>not only</u> an exciting event, <u>but also</u> an unforgettable memory.
「not only A but also B」는 'A뿐만 아니라 B도'라는 뜻의 상관 접속사이다. 「B as well as A」로 바꾸어 쓸 수 있다.

12행 Many students <u>look forward to</u> it.
「look forward to」는 '~을 고대하다'라는 뜻이다. to는 전치사이므로 뒤에 명사가 와야 한다.

12행 Some countries also hold an event <u>similar to</u> prom for high school students.
「similar to」는 '~와 비슷한'이라는 뜻이다.

Review Test p.26

A

1 rent   2 adventure   3 survive

4 store   5 protect

B

1 ①   2 ②   3 ④

C

1 It will be very hot and dry during the day. / During the day, it will be very hot and dry.

2 Food and water can be very hard to find in the desert.

3 The prom is not only an exciting event, but also an unforgettable memory.

A

1 rent: 대여하다

2 adventure: 모험

3 survive: 살아남다

4 store: 보관하다

5 protect: 보호하다

B

1 take a trip: 여행하다(= travel)
   나는 지난주에 호주로 여행 갔다.

2 thrive: 성장하다(= grow well)
   오래된 사과나무 한 그루가 앞마당에서 잘 자랐다.

3 get together: 모이다(= meet)
   내 오랜 친구들과 나는 저녁 식사를 위해 모였다.

C

1 during: ~동안에

2 형용사(A) + to부정사(B): B하기에 A한 (to부정사가 형용사 수식)

3 not only A but also B: A뿐만 아니라 B도

01 | Fun & Games   p.29

1 ④   2 flash crowd, smart mob

3 cellphones, e-mail, the web   4 ②

플래시 몹이란 공공장소에 갑자기 모여, 특이하거나 독특한 일을 한 다음에 재빨리 흩어져 사라져 버리는 한 무리의 사람들을 뜻한다. 이 "플래시 몹"이란 용어는 "플래시 크라우드"와 "스마트 몹"에서 유래된 것이다. "플래시 크라우드"는 어떤 웹 사이트에 동시에 접속하려고 하는 엄청나게 많은 사람들을 뜻한다. "스마트 몹"은 지도자 없이 휴대 전화, 이메일, 웹 같은 기술을 이용하여 모이고 움직이는 사람들을 의미한다. 이 플래시 몹 현상은 2003년 초에 뉴욕 시에서 처음 발생했다. 사람들이 "몹 프로젝트"라는 것을 조직했던 것이다. 그러나 이 최초의 플래시 몹은 실제로 실현되지는 않았다. 경찰이 현장에 많이 와서 막았기 때문이었다. 두세 번 시도 끝에 플래시 몹은 뉴욕 시에서 성공을 거두었다. 플래시 몹은 아시아, 라틴 아메리카, 호주, 유럽 등 전 세계로 빠르게 퍼졌다.

| 문제 해설 |

1 because of는 전치사이므로 뒤에 명사(구)가 나와야 한다. 절을 이끄는 것은 because이다.
2 '플래시 몹(flashmob)'이라는 용어는 플래시 크라우드(flash crowd)와 스마트 몹(smart mob)이 결합된 것이다.
3 플래시 몹은 휴대 전화, 이메일, 웹과 같은 기술을 이용해서 조직된다.
4 플래시 몹은 단 하나의 전자 통신 수단을 이용하여 모이는 것이 아닌 휴대 전화, 이메일, 웹 같은 다양한 기술을 이용해서 모인다.
  ① 플래시 몹은 성공적으로 전 세계로 퍼졌다.
  ② 플래시 몹은 한 가지 전자 매체만을 통해 이루어진다.
  ③ 플래시 몹 현상은 2003년 초 뉴욕에서 처음 시작되었다.
  ④ 첫 플래시 몹은 많은 경찰 때문에 이루어질 수 없었다.
  ⑤ 플래시 몹은 갑자기 사람들이 모여 특이한 행동을 하고는 사라져 버리는 것을 말한다.

| 영영풀이 |

1 flee: 달아나다
2 access: 접속하다
3 phenomenon: 현상

| 구문풀이 |

1행 A flash mob is a group of people who gather suddenly in a public place, do something unusual, and then disperse, fleeing quickly.

gather, do, disperse는 모두 who가 이끄는 관계대명사절의 동사인데, 등위접속사 and로 연결되었다.

4행 "Smart mob" means a leaderless gathering that is organized using technologies such as cellphones, e-mail, and the web.
Smart mob이 주어, means는 동사, 목적어는 a leaderless gathering이고 목적어는 that이 이끄는 관계대명사절이 수식하고 있다.

8행 … police sent many officers to the place and stopped people doing it.
「stop + 목적어 + (from) + -ing」는 '~가 …하는 것을 막다'라는 뜻으로 쓰인다.

02 | MUSIC   p.31

1 ④   2 ③   3 and so on

4 the fashion industry, the art world, modern dance

힙합은 음악의 한 형태이다. 힙합은 1970년대 초 뉴욕의 아프리카계 미국인 공동체에서 시작되었다. 이러한 형태의 음악의 기원은 몇몇 다른 장르의 음악에서 발전되었다. 그것은 디스코, 레게, 펑크 등이다. 힙합 음악가들은 리듬감 있는 박자에 노랫말을 섞어서 자신들의 노래를 만들어낸다. 힙합 음악은 지금 전 세계 젊은이들 사이에서 큰 인기이다. 그러나 힙합 문화의 영향력은 단지 음악에 그치지 않았다. 우리는 힙합 문화가 패션산업, 예술계, 그리고 심지어 현대무용에 주는 영향도 볼 수 있다.

| 문제 해설 |

1 디스코와 레게는 힙합의 영향을 받은 것이 아니라 힙합에 영향을 주었다.
2 디스코, 레게, 펑크 음악은 힙합에 영향을 준 음악들이다. 따라서 They는 several other genres of music을 가리킨다.
  ① 힙합 음악가   ② 리드미컬한 박자
  ③ 몇몇 다른 장르의 음악   ④ 아프리카계 미국인 공동체
  ⑤ 아프리카 음악의 기원
3 and so on은 '기타 등등'이라는 뜻이다. 같은 뜻으로는 and so forth, etc. 등이 있다.
4 마지막 두 문장을 통해서 힙합이 패션산업, 예술계, 현대 무용에 영향을 준다는 것을 알 수 있다.

| 영영풀이 |

1 origin: 기원

2 develop: 발전하다

3 impact: 영향

| 구문풀이 |

1행　It began in African American communities of New York City during the early 1970's.
전치사 during은 '~ 동안'이라는 뜻으로 특정한 기간을 나타내는 명사 앞에 쓰인다.

6행　Hip hop music is now very popular among young people all over the world.
전치사 among은 '~ 가운데에', '~ 사이에'라는 뜻이다. all over the world는 '전 세계에'라는 뜻의 표현이다.

03 | FOOD p.33

1 ③　　2 a healthy diet　　3 ⑤
4 changing

건강식이 우리 몸에 좋다는 것은 누구나 안다. 그러나 그것이 두뇌 활동을 촉진하는 데에도 도움을 줄 수 있다는 것 역시 알고 있는가? 그것은 사실이다! 지적 능력을 개선하는 가장 좋은 음식 중 하나는 생선이다. 생선은 오메가3 지방산을 함유하고 있다. 이러한 유형의 지방은 두뇌가 높은 수준에서 기능할 수 있도록 도와준다. 과학자들은 생선을 먹는 것이 기억력과 학습 능력을 향상시키는 데 도움을 줄 수 있다고 말한다. 또한, 우리 두뇌에 좋은 많은 다른 음식들이 있다. 그것들은 견과류, 과일, 그리고 채소이다. 이러한 음식에는 뇌가 필요로 하는 단백질, 다량의 섬유질, 그리고 건강에 좋은 지방이 들어 있다. 게다가, 그것들은 또한 스트레스와 질병을 줄이는 데 도움을 준다. 오늘부터 시작해서 식습관을 바꿔보는 것이 어떨까?

| 문제 해설 |

1 지적 능력을 향상시켜 주는 음식에 관한 글이다.

2 it은 앞 문장에서 언급된 a healthy diet를 가리킨다.

3 뇌에 좋은 음식의 또 다른 장점을 언급하는 문장이다. 문맥상 스트레스와 병을 줄이는 데 도움을 준다는 의미가 되어야 하므로 reduce가 가장 적절하다.
①~을 야기시키다　②~을 유지하다　③~을 신장시키다
④~을 변화시키다　⑤~을 줄이다

4 about은 전치사이고, 전치사는 목적어로 동명사를 취한다. 동명사는 「동사원형 + ing」의 형태로 나타내며, 「How about + 동명사?」는 '~하는 게 어때?'라는 의미이다.

| 영영풀이 |

1 function: 작동하다

2 suggest: 제안하다

3 habit: 습관, 버릇

| 구문풀이 |

2행　However, do you know that it can help boost our brain power, too?
that 이하는 know의 목적어 역할을 하는 명사절이다. that이하는 '~하는 것'이라고 해석할 수 있다.

4행　One of the best foods *to improve brain power* is fish.
「one of the + 최상급 + 복수명사」는 '가장 ~한 것 중 하나'라는 뜻으로 쓰인다. 뒤에 나오는 to부정사(to improve brain power)는 best foods를 수식하는 형용사적 용법으로 쓰였다.

7행　Scientists suggest that eating fish can help improve memory and learning ability.
that이하는 suggest의 목적어 역할을 하는 명사절이다. help 다음에는 to부정사나 동사원형이 나와 '~하는 것을 돕는다'라는 의미로 쓰인다.

Review Test   p.34

A

1 function   2 develop   3 impact

4 habit   5 access

B

1 ②   2 ①   3 ①

C

1 The flash mob phenomenon began in early 2003 in New York City.

2 But hip hop culture has influenced more than just music.

3 There are many other foods that are good for our brain.

A

1 function: 작동하다

2 develop: 발전하다

3 impact: 영향

4 habit: 습관

5 access: 접속하다

B

1 attempt: 시도하다(= try)
그 상황을 환자에게 설명하려 하지 마십시오.

2 origin: 기원(= root)
크리스마스의 기원은 예수의 탄생이다.

3 boost: 개선시키다(= improve)
우리는 수백만의 새 일자리를 창출함으로써 경제를 개선시킬 수 있다.

C

1 in + 시간(년, 월 …) / 장소(국가, 도시 …)

2 more than: ~이상의

3 there is + 단수명사 / there are + 복수명사

01 | NATURE   p.37

1 ②   2 ③   3 (A) are (B) during

4 겨울에는 남극 대륙에 해가 비치지 않는 것

남극 대륙은 춥고 건조한 땅이다. 그러나 그것이 그곳에 사람이 살지 않는다는 것을 뜻하지는 않는다. 남극 대륙에 있는 사람들은 주로 연구원과 과학자들이다. 전 세계의 연구원들이 그곳에서 중요한 과학 실험을 한다. 과학자들 대부분은 여름에 연구를 한다. 남극의 여름은 10월부터 3월까지이다. 대부분의 연구원은 여름이 끝나면 집으로 돌아간다. 겨울에는 이 지역에 해가 비추지 않는다. 이런 이유로 연구하기가 매우 어렵다. 남극 땅에는 황제펭귄을 빼곤 영구적인 거주민은 없다!

| 문제 해설 |

1 연구원, 과학자처럼 남극 대륙에 있는 사람들에 대한 글이다.

   ① 남극 대륙의 겨울

   ② 남극 대륙의 사람들

   ③ 남극 대륙에서의 과학 실험

   ④ 남극 대륙에 있는 황제펭귄

   ⑤ 지구에서 가장 춥고 건조한 땅

2 ⓐ, ⓑ, ⓓ, ⓔ는 남극 대륙(Antarctica)을 가리키고, ⓒ는 '집'이라는 뜻으로 연구원, 과학자들이 원래 살던 곳을 가리킨다.

3 (A) 주어가 The people로 복수이므로 are, (B) the summer는 기간을 나타내는 명사이므로 during이 적절하다. for 뒤에는 구체적인 수치를 이용한 기간이 나온다.

4 밑줄 친 this는 남극 대륙에서 겨울에 연구를 하기 어려운 이유이고 이것은 앞 문장(The sun no longer shines on the region during the winter.)에 나와 있다. 따라서 답은 '겨울에는 남극 대륙에 해가 비치지 않는 것'이다.

| 영영풀이 |

1 perform: 실행하다

2 region: 지역

3 permanent: 영구적인

| 구문풀이 |

1행   But <u>that</u> doesn't mean people don't live there.
that은 앞 문장(Antarctica is a cold, dry land.) 전체를 가리키는 지시대명사로 쓰였다.

4행   <u>Researchers</u> *from all over the world* <u>do</u> important scientific tests on the land.
주어는 Researchers이고, 동사는 do이다. from all over the world는 Researchers를 수식하는 수식어구이다.

8행 The summer in Antarctica lasts from October to March.

last는 '맨 마지막'이라는 뜻의 형용사 외에 '계속하다', '지속하다'라는 뜻의 동사로도 쓰인다. 「last from *A* to *B*」는 '*A*부터 *B*까지 계속하다'라는 뜻이다.

9행 Most of the researchers go back home after the summer ends.

after는 접속사로 '~한 뒤에'라는 뜻이다. 접속사로 쓰인 after 뒤에는 「주어 + 동사」로 이루어진 절이 온다. after는 '~의 뒤에'라는 뜻의 전치사로 쓰이기도 한다. 이때는 뒤에 명사(구)가 온다.
e.g. Mike went home after school. Mike는 방과 후에 집에 갔다.

11행 Doing research is very difficult because of this.

Doing은 동명사로 문장에서 주어로 쓰였다. 동명사는 단수 취급한다. because of 뒤에는 명사가 온다.

---

02 | FAMOUS PLACES　　　　p.39

　　1 ③　　　　**2** ⑤　　　　**3** ③
　4 엔젤 폭포가 정글 안에 있기 때문에

폭포는 아름다운 자연 명소이다. 여러분은 세상에서 가장 높은 폭포가 무엇인지 아는가? 그것은 베네수엘라의 카나이마 국립공원에 있다. 미국인 전투기 조종사 지미 엔젤이 1937년에 이 폭포 위를 비행했다. 그래서 우리는 그를 기려 그것을 엔젤 폭포라고 부른다. 엔젤 폭포는 얼마나 높은가? 그것은 높이가 3,212피트나 된다! 그것은 세계에서 가장 높은 빌딩보다 500피트가량 높다. 엔젤 폭포가 베네수엘라의 가장 유명한 관광 명소 중 하나라는 것은 그리 놀라운 일이 아니다. 이 폭포는 정글 안에 있다. 이러한 이유로 이 폭포로 여행 가는 것은 매우 어렵다. 가장 모험적인 사람들만이 이 위대한 자연의 경이를 볼 기회를 얻을 것이다.

| 문제 해설 |

1 세계에서 가장 높은 폭포인 '엔젤 폭포'에 관한 글이다.
　① 정글에서 사는 법
　② 위대한 비행기 조종사, 지미 엔젤
　③ 세계에서 가장 높은 폭포
　④ 세계에서 가장 위대한 발견
　⑤ 세계 최고의 관광 명소

2 ⓐ~ⓓ는 엔젤 폭포를 가리킨다. ⓔ는 진주어 to travel to the falls의 가주어로 쓰인 it이다.

3 빈칸 다음에 폭포의 높이가 3,212피트라고 했으므로(It is 3,212 feet high!), 폭포의 높이를 묻는 질문이 오는 것이 적절하다.

① 지미 엔젤은 누구인가?
② 엔젤 폭포는 어디에 있는가?
③ 엔젤 폭포는 얼마나 높은가?
④ 엔젤 폭포는 나이아가라 폭포보다 높은가?
⑤ 지금까지 얼마나 많은 사람이 엔젤 폭포를 방문했는가?

4 10행의 Because of this는 '이것 때문에'라는 뜻으로, this는 앞 문장(It is in the jungle.)이다. 따라서 '엔젤 폭포가 정글에 있기 때문에'가 적절한 답이다.

| 영영풀이 |

1 landmark: 주요 지형지물
2 attraction: 명소
3 wonder: 경이로운 것

| 구문풀이 |

1행 Do you know what the world's highest waterfall is?

간접의문문은 의문문이 다른 문장의 일부가 되어 있는 것을 말한다. 의문사가 있는 간접의문문은 「의문사 + 주어 + 동사」의 순서로 쓴다.

4행 An American pilot, Jimmy Angel, flew over the falls in 1937, so we call *it Angel Falls* to honor him.

An American pilot과 Jimmy Angel 사이의 쉼표(,)는 동격을 나타낸다. 「call *A B*」는 '*A*를 *B*라고 부르다'라는 뜻이다.

7행 That's around 500 feet taller than the world's tallest building.

around는 '약', '대략'이라는 뜻으로 about으로 바꾸어 쓸 수 있다.

11행 Only the most adventurous people will ever get the chance to see this great natural wonder.

adventurous는 3음절 이상의 형용사이다. 3음절 이상의 형용사, 부사는 more, most를 붙여 비교급, 최상급을 만든다.

1 ⓐ the other ⓑ unknown   2 ②

3 ④   4 green, found

1887년에 스페인의 반호스 근처에서 이상한 아이들이 두 명 발견되었다. 한 명은 소년이었고, 다른 한 명은 소녀였다. 이 아이들은 금속으로 만든 이상한 옷을 입고, 처음 들어보는 언어로 비명을 지르고 있었으며, 피부는 녹색이었다. 아이들은 처음에는 아무 것도 먹거나 마시지 않으려고 했는데, 소녀는 마침내 불에 익히지 않은 채소를 먹기 시작했지만, 소년은 한 입도 먹지 않아서 곧 숨졌다. 소녀는 처음 발견된 후 5년 동안 살았으며, 그 사이에 피부가 서서히 백인의 피부 색깔로 옅어졌다. 소녀는 스페인어도 배워서, 자신에 대해 말해주었다. 그 소녀는 자신과 오빠는 피부가 녹색인 사람들이 사는 나라에서 왔으며, 태양이 없는 암흑의 지역이 있었다고 했다. 소녀가 죽자 그 수수께끼를 풀 수 있는 희망은 완전히 사라졌다. 오늘날에도 나이를 막론하고, 반호스의 녹색 아이들에 관한 이야기는 모든 사람들을 매료시킨다.

| 문제 해설 |

1 ⓐ 나머지 하나는 another가 아닌 the other가 옳다. ⓑ '알려지지 않은'의 의미로 수동을 나타내므로 과거분사 unknown이 옳다.

2 The girl finally began to eat some uncooked vegetables와 She also learned Spanish and told about her origins을 통해서 그녀가 먹기 시작했고 스페인어를 공부했음을 알 수 있다.
   ① 먹기를 거절했고 곧 죽었다.
   ② 먹기 시작하고 스페인어를 배우기 시작했다.
   ③ 종일 울더니 곧 죽었다.
   ④ 죽음의 수수께끼를 풀었다.
   ⑤ 자신의 삶에 대해 아무것도 말하지 않았다.

3 the boy didn't have a bite so he died soon을 통해 소년이 아예 먹지도 않아서 곧 죽었음을 알 수 있다.

4 1887년에 스페인에서 피부가 녹색인 아이들 두 명이 발견되었다. 아무도 그 아이들이 어디서 왔는지, 어떻게 그곳에 오게 되었는지에 관해서는 아무 것도 모른다. 반호스의 녹색 아이들에 대한 이야기는 나이를 막론하고 모든 사람들을 매혹시키고 있다.

| 영영풀이 |

1 refuse: 거절하다

2 fade: 점점 사라지다

3 fascinate: 매료시키다

| 구문풀이 |

1행 Two strange children were found near Banjos, Spain in 1887.
수동태는 「be동사 + 과거분사(p.p.)」형태로 나타낸다. 시제는 과거일 경우 be동사의 과거형을, 현재일 경우 be동사의 현재형을 사용한다.

7행 The girl lived for five years after she was found, and during that time her skin slowly lightened to a Caucasian tone.
for, during 둘 다 '~동안'이라는 의미를 갖는 전치사이다. for는 숫자와 함께 쓰여 구체적인 시간의 길이를 나타내고, during은 during the vacation과 같이 기간을 나타내는 명사와 함께 쓰인다.

9행 She said that she and her brother had come from a land with green-skinned people, and there was a place of darkness without the sun.
대과거(had p.p.)는 특정 과거시제보다 앞선 과거를 나타낼 때 사용된다. 이 문장에서 had come은 주절의 said보다 앞선 시제이므로 대과거를 쓴 것이다.

Review Test   p.42

A

1 fade   2 region

3 attraction   4 permanent

5 wonder

B

1 ⑤   2 ②   3 ③

C

1 Most of the researchers go back home after the summer ends.

2 That's around 500 feet taller than the world's tallest building.

3 The children refused to eat or drink anything.

A

1 fade: 점점 사라지다

2 region: 지역

3 attraction: 명소

4 permanent: 영구적인

5 wonder: 경이로운 것

B

1 mainly: 주로(= mostly)

그의 두통은 주로 스트레스 때문에 생겼다.

2 chance: 기회(= opportunity)

나는 많은 영화배우들을 볼 기회가 있었다.

3 find: 발견하다(= discover)

그 오래된 책이 발견되었을 때, 그것이 얼마나 가치 있었는지 아무도 몰랐다.

C

1 after(부사절 접속사) + 주어 + 동사: ~한 후에

2 around + 수량 표현: 약, 대략

3 refuse + to부정사: ~하기를 거절하다

01 | CULTURE & CUSTOMS   p.45

1 ①   2 ⑤   3 ④

4 ②

스코틀랜드 남자들은 치마를 입는가? 사실 그렇지 않다. 스코틀랜드 남자들은 킬트(kilt)를 입는 것이지 치마를 입는 것이 아니다. 킬트는 스코틀랜드 전통 의상 중 하나이다. 전통적으로 스코틀랜드 남자들은 다른 옷과 재킷, 양말, 특수화, 그리고 무기와 같은 장신구를 킬트와 함께 착용한다. 특별한 타탄 혹은 체크무늬 때문에 킬트를 입은 사람을 발견하기는 매우 쉽다. 각각의 무늬는 독특하다! 킬트는 16세기에 처음으로 등장했으며, 그 스타일은 수년간 변화했다. 오늘날 대부분의 스코틀랜드 남자들은 공식적인 경우에만 킬트를 입는다. 그것은 미국의 턱시도나 한국의 한복과 매우 흡사하다.

| 문제 해설 |

1 스코틀랜드 남자들이 치마를 입느냐고 물어보고, 치마가 아니라 킬트를 입는다는 내용이 나왔으므로 주어진 문장은 (A)에 오는 것이 적절하다.

2 스코틀랜드의 전통 의상인 킬트에 대해 설명하는 글이다.

3 킬트는 다른 옷과 장신구와 함께 착용한다고 했으므로 ④가 윗글의 내용과 일치하지 않는다.

4 킬트는 공식적인 행사에만 입는 스코틀랜드의 전통 의상으로 한국의 한복과 유사하다.

① 치마   ② 한복   ③ 태권도

④ 드레스   ⑤ 떡

| 영영풀이 |

1 traditional: 전통적인

2 unique: 특이한

3 occasion: 행사

| 구문풀이 |

1행   Scottish men wear *kilts*, not *skirts*.

'스코틀랜드 남자는 치마가 아니라 킬트를 입는다.'라는 뜻으로 Scottish men wear not skirts but kilts.로 바꾸어 쓸 수 있다. 「not *A* but *B*」는 '*A*가 아니라 *B*'라는 뜻의 상관접속사이다.

5행   It is easy *to spot someone wearing a kilt* because of its special tartan or check pattern.

문장의 주어가 너무 길어지는 경우에 의미적인 주어(진주어)를 뒤로 보내고, 그 대신 it을 사용하여 형식적인 주어 역할을 하게 하는데, 이것을 가주어 it이라고 한다. 진주어는 to spot someone wearing a kilt이다. because of는 '~ 때문에'라는 뜻으로, of가 전치사이므로 뒤에 명사가 온다.

6행 Each pattern *is* unique!
each는 형용사로 쓰여서 '각자의', '각각의'라는 의미로, 단수 명사를 수식하고 단수동사가 온다.

7행 Kilts *first* appeared in the 16th century, and the style has changed over the years.
first는 부사로 쓰여 '처음으로', '첫째로'라는 뜻이다. 「have[has] + 과거분사」는 현재완료시제로, 과거에 발생한 일이 현재까지 영향을 미치거나 계속되고 있을 때 쓴다.

---

02 | HISTORICAL EVENTS p.47

1 ③

2 금을 찾으러 온 사람들이 살 곳이 필요했기 때문에

3 ② **4** ③

(B)
19세기 중반, 캘리포니아에서 금이 발견되었다. 이 발견은 사람들을 흥분시켰다. 거의 3만 명에 이르는 남자, 여자, 그리고 아이들이 부를 좇아 캘리포니아로 향했다. 골드러시는 많은 남미인, 유럽인, 그리고 중국인들까지도 끌어들였다.
(A)
이 보물을 찾는 사람들이 살 곳이 필요했기 때문에 샌프란시스코 같은 작은 마을은 급속히 커졌다. 샌프란시스코의 인구는 1848년에 1,000명에서 1850년에 25,000명으로 늘었다.
(C)
결국, 몇몇 사람들은 많은 돈을 벌 수 있었다. 그러나 대부분의 다른 사람들은 금을 하나도 건지지 못한 채 집으로 돌아갔다. 캘리포니아의 골드러시는 1855년경에 끝났다.

| 문제 해설 |

1 (A)의 these treasure seekers는 (B)에서 설명한 '캘리포니아에 금을 찾으러 온 사람들'이다. (C)의 In the end는 '마침내', '결국'이란 뜻으로 결말에 대한 설명을 할 때 쓴다.

2 캘리포니아에 금을 찾으러 온 사람들이 살 곳이 필요했기 때문에 샌프란시스코는 작은 도시에서 큰 도시가 될 수 있었다.

3 people은 셀 수 있는 명사이므로 a little과 little은 수식할 수 없다. few는 '거의 없는'이라는 뜻이고, a number of는 '많은'이라는 뜻이다.

4 몇몇 사람들만 돈을 많이 벌고 대부분의 사람들은 빈손으로 돌아갔다는 내용이다. 빈칸이 연결하는 두 절이 서로 역접 관계이므로 but이 들어가는 것이 가장 적절하다.

① 또는 ② ~와 같은 ③ 그러나
④ ~할 때 ⑤ ~때문에

| 영영풀이 |

1 treasure: 보물

2 fortune: 큰돈

3 return: 돌아가다

| 구문풀이 |

3행 The population of San Francisco increased from about 1,000 in 1848 to 25,000 in 1850.
「increase from *A* to *B*」는 '*A*에서 *B*로 증가하다'라는 뜻이다.

6행 In the middle of the 19th century, gold was discovered in California.
discover는 '발견하다'라는 뜻이다. 행위자가 불확실한 경우나 중요하지 않은 경우에는 수동태를 쓴다. 수동태의 형태는 「주어 + be동사 + 과거분사(+ by + 행위자)」이다.

11행 In the end, a few people could make a lot of money, but most others returned home without any gold at all.
a lot of는 '많은'이라는 뜻으로 셀 수 있는 명사와 셀 수 없는 명사를 모두 수식한다. money는 셀 수 없는 명사로 a lot of는 much와 바꾸어 쓸 수 있다. 「without any ~ at all」은 '~이 전혀 없이'라는 뜻으로, 「with no ~ at all」로 바꾸어 쓸 수 있다.

---

03 | COMPUTER p.49

1 ③ **2** ① **3** ②

4 ethical, bad, Ethical, bad

해커에는 두 종류가 있다. "해커"라는 타이틀을 얻기에 부족함이 없는 도덕적인 전문가들과 가상공간에서 사람들에게 해를 입히는 범죄자들. 도덕적인 해커들은 고도로 숙련된 컴퓨터 전문가들로, 어린 십 대에서 나이 많은 성인까지 속한 연령대가 넓다. 네트워크의 안전성을 걱정하는 기관들이 그들을 고용한다. 도덕적인 해커들은 당신의 허락을 받아 당신 컴퓨터의 취약점을 찾기 위해 당신 사이트에 침입하고 그 취약점을 고칠 수 있게 도와준다. 또한 도덕적인 해커들은 보안과 방화벽 소프트웨어를 짜는 소프트웨어 개발자들이기도 하다. 반면에, 나쁜 해커들은 보통 십 대나 이십 대 초반으로 자기 과시나 스릴, 또는 뭔가 위험한 일에 대한 도전 때문에 다른 사람들의 컴퓨터 시스템에 침입하는 사람들이다.

1 도덕적인 해커들은 당신의 허락을 받아 당신 컴퓨터의 취약점을 찾기 위해 당신 사이트에 침입하고 그 취약점을 고칠 수 있게 도와준다.
　① 시스템을 망쳐놓기 위해
　② 당신의 컴퓨터를 찾기 위해
　③ 취약점을 찾기 위해
　④ 당신의 정보를 얻기 위해
　⑤ 자신들의 기술을 보여주기 위해

2 앞 내용과 반대되는 내용이 뒤따르므로 '반면에'라는 뜻의 on the other hand가 옳다.
　① 반면에　　　② 결과적으로　　　③ 그때
　④ 그에 따라　　　⑤ 요약해서

3 Bad hackers, on the other hand, are usually teens or early twenties who break into other people's computer systems, usually for showing off, thrills or the challenge of doing something dangerous를 통해 자기 과시나 스릴, 또는 뭔가 위험한 일에 대한 도전 때문에 다른 사람들의 컴퓨터 시스템에 침입하는 사람들은 나쁜 해커임을 알 수 있다.
　① 그들은 당신의 허락을 받고 당신의 컴퓨터 시스템에 침입한다.
　② 그들은 다른 사람들 컴퓨터에 침입해서 자랑하는 것을 좋아한다.
　③ 그들은 보안 및 방화벽 프로그램을 개발하는 소프트웨어 개발자이다.
　④ 그들은 어린 10대부터 나이 많은 어른까지 연령대가 다양한 전문가들이다.
　⑤ 그들은 시스템의 취약점을 찾아 사람들을 돕는데 자신의 기술을 쓴다.

4 도덕적인 해커와 나쁜 해커에는 차이점이 있다. 도덕적인 해커들은 컴퓨터의 취약점을 보수하기 위해 컴퓨터 시스템에 침입하는 반면 나쁜 해커들은 시스템에 침입함으로써 컴퓨터를 파괴한다.

| 영영풀이 |

1 professional: 전문가
2 criminal: 범죄자
3 permission: 허락

| 구문풀이 |

4행　Organizations concerned about their own network's safety hire them.
concerned 앞에는 which[that] are가 생략되었다. 「주격 관계대명사＋be동사」로 시작되는 형용사절은 이 두 요소가 생략되어 간략히 쓰이기도 한다.

5행　Ethical hackers will … help you fix them.
help는 목적어와 목적격 보어를 취하여 5형식을 이끌 수 있다. help의 목적격 보어는 to부정사나 동사원형이 올 수 있다.

9행　… usually for showing off, thrills or the challenge of doing something dangerous.
for는 목적(~하기 위하여)을 나타내는 전치사이다. 전치사 뒤에는 동명사나 명사가 나올 수 있다.

Review Test　　　　p.50

A
1 fortune　　2 occasion　　3 return
4 permission　　5 criminal

B
1 ①　　　　2 ②　　　　3 ③

C
1 The kilt is part of the traditional dress in Scotland.
2 These treasure seekers needed a place to live.
3 Organizations concerned about their own network's safety hire them.

A
1 fortune: 큰 돈
2 occasion: 행사
3 return: 돌아가다
4 permission: 허락
5 criminal: 범죄자

B
1 spot: 발견하다(＝ see)
　지하철에서 신문을 읽는 사람을 쉽게 찾아볼 수 있다.
2 create: 만들다, 야기하다(＝ cause)
　당신의 행동은 많은 문제를 야기한다.
3 professional: 전문가(＝ expert)
　하우 씨는 수학 분야에서 진정한 전문가이다.

C
1 part of: ～의 일부분
2 a place to live: 살 곳(to live: to부정사의 형용사적 용법)
3 Organizations (that are) concerned …: 「관계대명사＋be동사」가 생략된 형태

01 | NATURE
p.53

1 ②　　　　2 ③　　　　3 penguins

4 ④

여러분은 펭귄이 새라는 것을 알고 있었는가? 펭귄은 진짜 새이지만, 날지는 못한다. 대부분 펭귄은 남극에 살지만, 그중 일부는 온난한 지역에 살기도 한다. 펭귄은 바다에서 수영하기를 좋아한다. 그들은 일생의 절반가량을 먹이를 찾아 바다에서 수영하며 보낸다. 그들은 더 빨리 수영하기 위해 날개를 사용한다. 그들은 특히 오징어를 즐겨 먹는다. 펭귄의 특수한 깃털 층은 그들을 따뜻하게 보호해준다. 이는 중요하다. 왜냐하면 대부분 종류의 펭귄은 남극 대륙에 살고, 차가운 물속에 헤엄치기 때문이다.

| 문제 해설 |

1 남극에 사는 펭귄에 대한 글이다. 펭귄은 새이지만 날지 못하고 헤엄치는 것을 좋아한다.

① 최고의 오징어 요리법

② 펭귄: 날지 못하는 새

③ 남극 대륙에 가는 가장 빠른 방법

④ 남극 대륙: 지구에서 가장 추운 곳

⑤ 펭귄: 남극 대륙에서 가장 큰 새

2 They spend about half of their lives swimming in the ocean to find food를 통해서 펭귄은 육지에서 먹이를 찾는 것이 아니라 바다에서 찾는다는 것을 알 수 있다.

3 ⓐ는 앞 절에 나온 penguins, ⓑ는 문장 전체에서 등장하는 they라는 대명사를 통해서 펭귄(penguins)을 가리킨다는 것을 알 수 있다.

4 빈칸 앞에서 펭귄의 특수한 깃털 층이 펭귄을 따뜻하게 해주는 것이 중요하다고 했고, 빈칸 뒤에는 대부분 펭귄이 추운 바다에서 헤엄을 친다고 했으므로 이유를 나타내는 because가 들어가는 것이 가장 적절하다.

① 그래서　　　② 그러나　　　③ ~할 때

④ ~때문에　　　⑤ ~이지만

| 영영풀이 |

1 temperate: 온화한

2 layer: 층

3 feather: 깃털

| 구문풀이 |

1행　Did you <u>know</u> (that) a penguin is a bird?
know는 목적어가 필요한 동사이다. that은 know의 목적어 역할을 하는 명사절을 이끄는 종속접속사로 쓰였다. 목적어절을 이끄는 that은 생략할 수 있다.

5행　They <u>spend</u> *about half of their lives* <u>swimming</u> in the ocean <u>to find</u> food.
「spend + 시간 + -ing」는 '~하느라 시간을 보내다'라는 뜻이다. to find는 '~하기 위해서'라는 뜻으로 목적을 나타내는 to부정사의 부사적 용법이다. to는 in order to, so as to로 바꾸어 쓸 수 있다.

8행　They especially *love* to eat(= eating) squid.
love는 목적격으로 to부정사와 동명사를 모두 취하고 의미의 차이는 없다. 이와 같은 동사로는 like(좋아하다), start, begin(시작하다), hate(싫어하다), continue(계속되다) 등이 있다.

02 | FAMOUS PLACES
p.55

1 ⑤　　　　2 ④　　　　3 ②

4 in the middle of the city

뉴욕시를 생각하면 어떤 이미지가 떠오르는가?

(C)

아마도 엠파이어스테이트 빌딩, 자유의 여신상, 타임스스퀘어를 상상할 것이다. 물론 그렇다. 어쨌든, 뉴욕시는 콘크리트 정글이다! 그렇지만 도시 한가운데에 거대한 공원이 있다는 것을 아는가?

(B)

그렇다. 그것은 센트럴파크이다. 공원에는 몇 개의 커다란 연못이 있고, 많은 산책로와 동물원까지 있다. 또한, 두 개의 큰 빙상장이 있고 이것은 겨울에 개장한다. 그러나 내가 가장 좋아하는 시설은 델라코타 극장이다.

(A)

이곳에서는 매년 '공원 속의 셰익스피어'를 개최한다. 나는 지난 여름 뉴욕에 있었을 때 〈한여름 밤의 꿈〉을 볼 기회가 있었다. 그것은 마술 같았다!

| 문제 해설 |

1 (C) 마지막에 도시 한가운데에 있는 큰 공원에 대해 아느냐고 화두를 던진다. (B) 그것이 센트럴파크이고 여러 가지 시설에 대해 설명한 후에 자신이 가장 좋아하는 시설은 델라코타 극장이라고 말한다. (A) 델라코타 극장에 대해서 설명하고, 지난 여름에 그곳에서 공연을 보았다고 말한다.

2 New York City is a concrete jungle은 비유적인 표현이지 정말 뉴욕시에 정글이 있다는 말은 아니다.

① 센트럴파크　　　　② 엠파이어스테이트 빌딩

③ 자유의 여신상　　　④ 정글

⑤ 타임스스퀘어

15

3 each는 단수명사를 수식하므로 ⓑ years는 year가 되어야 한다.

4 in the middle of는 '~의 한가운데에'라는 뜻이다.

| 영영풀이 |

1 host: 개최하다

2 several: 몇몇의

3 path: 길, 경로

| 구문풀이 |

1행 **What images** come to mind *when* you think of **New York City?**
come to mind는 '떠오르다', '생각나다'라는 뜻이다. when은 '~할 때'라는 뜻의 시간을 나타내는 접속사이다. think of는 '~을 머리에 떠올리다[생각하다]'라는 뜻이다.

4행 **I had a chance** to see *A Midsummer Night's Dream*.
to see는 명사 a chance를 수식하는 to부정사의 형용사적 용법으로 쓰였고, a chance to see는 '볼 기회'라고 해석한다.

7행 **It also has** *two large ice skating rinks*, and they open in the winter.
they는 앞 절에 나온 two large ice skating rinks이다. 대명사는 지칭하는 대상과 수를 일치시켜야 한다.

12행 **However, did you** *know* (that) there is a huge park in the middle of the city?
know는 목적어가 필요한 동사이다. that은 know의 목적어 역할을 하는 명사절을 이끄는 종속접속사로 쓰였다. 목적어절을 이끄는 that은 생략할 수 있다.

---

03 | ANIMALS

p.57

1 ④   **2** ②   **3** ②

열대 우림은 많은 종류의 동물들의 서식지이다. 몇몇 동물은 매우 특이하다. 예를 들어, 독화살개구리는 대부분 개구리와는 달리 낮에 활동한다. 대부분의 독화살개구리는 매우 작다. 그것은 약 1.5~6센티미터이다. 그것은 또한 매우 화려하다. 그것은 귀엽게 보일지는 모르지만, 매우 위험할 수도 있다! 상당수의 독화살개구리는 피부에 치명적인 독이 있다. 이 독은 위험하고 굶주린 포식 동물들로부터 그들을 보호한다. 예를 들어, 청동화살개구리는 밝은 파란색 피부를 가지고 있다. 청독화살개구리는 그 색을 이용해서 다른 동물들에게 자신이 매우 유독하다는 것을 경고한다.

| 문제 해설 |

1 Many of them have deadly poisons in their skin을 통해서 독화살개구리는 혀가 아니라 피부(skin)에 독이 있다는 것을 알 수 있다.

2 열대 우림에 매우 특이한 동물들이 있다고 한 다음 독화살개구리의 예를 들고 있으므로 빈칸에 For example이 들어가는 것이 가장 적절하다.

① 그러므로   ② 예를 들어   ③ 그러나
④ 그래서   ⑤ ~때문에

3 열대 우림에는 몇몇 특이한 동물들이 있다. 독화살개구리는 좋은 예이다. 독화살개구리는 독이 있다. 그 독은 정글에서 살아남을 수 있도록 돕는다.

① 큰 – 보호하다
② 특이한 – 살아남다
③ 색이 화려한 – 다치게 하다
④ 매우 작은 – 죽이다
⑤ 야생의 – 즐기다

| 영영풀이 |

1 active: 활동적인

2 deadly: 치명적인

3 predator: 포식자

| 구문풀이 |

1행 **Some of the animals** *are* very strange.
some of 뒤의 명사에 따라 동사의 단·복수형이 달라진다. the animals는 복수명사이므로 복수동사 are를 쓴다.

2행 **For example, poison dart frogs are active during the day,** unlike **most frogs.**
during은 '~ 동안에'라는 뜻으로 뒤에 기간을 나타내는 명사가 온다. unlike는 '~와 달리'라는 뜻으로, 전치사 like의 반의어이다. '좋아하다'라는 뜻의 동사 like의 반의어는 dislike(싫어하다)이다.

3행 **They are about 1.5 to 6 centimeters** long.
about은 '약', '대략'이라는 뜻이다. 1.5 to 6는 '1.5에서 6까지'라는 뜻이다. long은 수량을 나타내는 명사와 함께 쓰여서 '(길이, 시간, 거리 등이) ~의 길이인'이라는 뜻이다. 예를 들어, six feet long은 '길이가 6피트인'이라는 뜻이다.

6행 **This poison** protects **them** from **dangerous, hungry predators.**
「protect A from B」는 'A를 B로부터 보호하다'라는 뜻이다.

8행 **It uses its color to** warn **other animals** *that it is very poisonous*.

이 문장에 쓰인 it(s)은 모두 the blue poison dart frog를 가리킨다. 동사 warn은 '경고하다'라는 뜻으로, that절이 경고의 내용을 나타낸다.

Review Test p.58

A

1 deadly   2 several
3 temperate 4 host
5 predator

B

1 ④   2 ④   3 ③

C

1 They spend about half of their lives swimming in the ocean to find food.

2 Did you know that there is a huge park in the middle of the city?

3 It uses its color to warn other animals that it is very poisonous.

A

1 deadly: 치명적인
2 several: 몇 개의
3 temperate: 온화한
4 host: 개최하다
5 predator: 포식자

B

1 region: 지역(= area)
   열대 지역에는 수천 개의 다양한 식물들이 있다.

2 huge: 거대한(= very large)
   제니의 집은 커 보인다. 그녀는 분명 부자일 것이다.

3 strange: 이상한(= unusual)
   나는 그에게 수상한 점이 있는 것 같았다.

C

1 spend + 시간 + -ing: ～하는 데 시간을 보내다
2 that + 주어 + 동사: ～라는 것 (that: 명사절 접속사)
3 warn + 목적어 + that절: ～에게 ～라는 것을 경고하다

01 | NATURAL DISASTER p.61

1 ②   2 ②
3 hot liquid rock   4 ①

여러분은 화산이 폭발하는 것을 본 적이 있는가? 폭발하는 화산은 인상적인 광경이다! 화산은 사실 산이다. 그러나 일반적인 산과는 달리 뜨거운 액체 상태의 암석인 마그마가 그 아래에 존재한다. 화산 내부의 압력이 증가하면 폭발한다. 폭발과 함께 가스, 재, 암석이 공중으로 분출된다. 붉은색의 뜨거운 용암은 매우 위험하며, 용암이 흐르는 길 위에 있는 모든 것을 파괴할 수도 있다. 실제로 몇몇 화산 폭발은 숲 전체를 파괴했다! 여러분이 화산 폭발을 구경하고 싶다면, 하와이를 방문해야 한다. 세계 최대의 활화산인 마우나로아(Mauna Loa)는 하와이에 있다.

| 문제 해설 |

1 주어진 문장은 화산이 사실은 산이라는 내용이다. 세 번째 줄의 unlike regular mountains를 보아, 주어진 문장은 (B)에 들어가는 것이 가장 적절하다.

2 When the pressure builds inside of the volcano, it erupts를 통해서 화산은 내부의 압력이 높아지면 폭발한다는 것을 알 수 있다.

3 magma와 hot liquid rock 사이의 쉼표(,)는 동격을 나타낸다.

4 밑줄 친 did는 destroy 앞에 쓰여 의미를 강조하는 역할을 한다.
   ① 나는 TV 보는 것을 정말 좋아한다. 〈강조〉
   ② 그녀는 중국 출신이 아니다. 〈부정문에 쓰인 조동사〉
   ③ 우리는 숙제를 함께 했다. 〈본동사〉
   ④ 너는 매일 아침식사를 하니? 〈의문문에 쓰인 조동사〉
   ⑤ 나는 어젯밤에 컴퓨터 게임을 하지 않았다. 〈부정문에 쓰인 조동사〉

| 영영풀이 |

1 erupt: 폭발하다
2 pressure: 압력
3 destroy: 파괴하다

| 구문풀이 |

1행   Did you ever see *a volcano* erupt?
see, watch, hear, listen to 등의 지각동사의 목적격 보어로 동사원형이 온다. 이때 목적어는 목적격 보어의 의미상 주어이다.
따라서 목적격 보어 erupt의 의미상 주어는 a volcano이다.

3행   But unlike regular mountains, *magma, hot liquid rock,* is under them.
magma와 hot liquid rock 사이의 쉼표(,)는 동격을 나타낸다.

17

e.g. Emily Dickinson, an American poet, wrote *Some Things That Fly There Be* in 1955. 미국 시인 에밀리 디킨슨은 1955년에 'Some Things That Fly There Be'를 썼다.

9행   In fact, some volcanic eruptions <u>did destroy</u> entire forests!
동사 do는 긍정문에서 일반동사 앞에 쓰여서 동사의 의미를 강조한다. 이때 동사 do에 강세를 두어 발음한다.

10행   If you're interested <u>in seeing</u> one, you should visit Hawaii.
「be interested in」은 '~에 관심이 있다'라는 뜻이다. in은 전치사이므로 뒤에 명사(구)가 와야 한다. seeing은 동명사로 명사 역할을 한다.

---

02 | PEOPLE   p.63

1 ③	2 most memorable
3 ④	4 ②

그는 나비처럼 날아서 벌처럼 쏜다. 그의 이름은 무하마드 알리이다! 그의 본명은 캐시어스 마셀러스 클레이 2세(Cassius Marcellus Clay Jr.)이다. 많은 사람이 그를 역사상 가장 위대한 권투선수라고 생각한다. 그는 세계 헤비급 챔피언을 세 차례나 지냈다. 그의 가장 기억에 남는 경기는 1974년 10월 30일에 열렸다. 그 시합은 '정글에서의 혈투(Rumble in the Jungle)'라는 별칭이 붙었다. 알리는 챔피언인 조지 포먼을 누르고 세계 헤비급 챔피언을 탈환했다. 알리가 조지 포먼을 이길 것이라고 생각한 사람은 거의 없었다. 그러나 알리의 '로프어도프(Rope-a-Dope)' 전략은 곧 조지 포먼을 지치게 했고, 마침내 알리는 경기에서 이겼다. 그것은 가장 흥미진진한 권투 시합 중 하나였다.

| 문제 해설 |

1   '정글에서의 혈투(Rumble in the Jungle)'는 무하마드 알리의 별명이 아니라 1974년에 있었던 조지 포먼과의 경기를 지칭하는 별명이다.

2   memorable은 -able로 끝나는 3음절 이상의 형용사이므로 most를 써서 최상급을 나타낸다.

3   to regain은 결과를 나타내는 to부정사의 부사적 용법으로 쓰였다.
   ① 나는 저 드레스를 사고 싶었다. 〈명사적 용법: 목적어〉
   ② 음식(먹을 것)을 먹자. 〈형용사적 용법: 명사 수식〉
   ③ 내 꿈은 영화배우가 되는 것이다. 〈명사적 용법: 보어〉
   ④ 그녀는 깨어보니 슈퍼스타가 되어 있었다. 〈부사적 용법: 결과〉
   ⑤ 아침식사를 하는 것은 당신의 건강에 좋다. 〈명사적 용법: 주어〉

---

4   많은 사람들은 알리가 포먼을 이기지 못할 거라고 생각했지만 포먼을 누르고 챔피언 타이틀을 탈환했다. 따라서 빈칸에는 역접을 나타내는 접속사 but이 들어가야 한다.
   ① 그래서   ② 그러나   ③ ~할 때
   ④ ~때문에   ⑤ ~이지만

| 영영풀이 |

1   float: 떠다니다

2   defeat: 패배시키다, 이기다

3   strategy: 전략

| 구문풀이 |

1행   He floats *like* a butterfly and stings like a bee.
'나비처럼 날아서 벌처럼 쏘다'라는 유명한 표현이다. like는 전치사로 '~와 같이', '~처럼'이라고 해석한다.

4행   He was the World Heavyweight Champion <u>three times</u>.
time은 반복되는 행동의 때, 경우, 회 등을 의미하여, three times는 '세 번'이라는 뜻이다. '한 번'은 once, '두 번'은 twice이다.

6행   His most memorable fight *took place* <u>on</u> October 30, 1974.
take place는 '일어나다', '발생하다'라는 뜻의 숙어이다. 시간을 나타내는 전치사 on은 특정한 날, 날짜, 요일 앞에 쓰인다.
e.g. <u>on</u> Christmas / <u>on</u> January 1st / <u>on</u> Sunday

7행   Ali defeated champion George Foreman <u>to regain</u> the World Heavyweight Championship belt.
to regain은 to부정사의 부사적 용법으로 쓰여서 결과를 나타낸다. to부정사의 부사적 용법은 결과 외에도 목적, 원인, 조건 등을 나타내거나 형용사를 수식한다.

9행   <u>Few people</u> thought Ali could defeat Foreman, but Ali's "Rope-a-Dope" strategy quickly made George Foreman tired.
수량형용사 few는 셀 수 있는 명사를 수식하여 '거의 없는'이라는 뜻으로 쓰인다. a few는 '조금 있는'이라는 뜻이다.

1 ③	2 ③	3 ①	4 ②

휘트니에게,

드디어 여기 마추픽추에 왔어! 우리 식구들과 나는 페루의 수도 인 리마에서 하루를 보내고 어제 여기에 도착했지. 이곳은 내가 본 곳 중 가장 아름답다고 말할 수 있어. "잃어버린 도시"에 얽혀 있는 역사도 아주 매혹적이지. 마추픽추는 1460년에서 1470년 사이에 건설된 도시인데, 스페인들이 이곳에 오자 당시 이곳에 살았던 잉카인들이 버리고 떠났던 거야. 1911년에 한 미국인이 다시 발견할 때까지 그곳은 사람들의 기억 속에서 사라졌어.

마추픽추는 거의 해발 3천 미터 되는 곳에 있어! 그러나 꼭대기 까지 와 보면 그렇게 높이 올라온 보람이 있다는 것을 알게 될 거 야. 마추픽추의 정상에서 내려다보이는 경관은 그야말로 숨이 막힐 정도야! 왕궁 자체도 너무 놀랍지. 문명사회가 존재했다는 증거가 되는 사원, 주택, 하수도 시설도 있어.

며칠 후에 다시 편지를 쓸게. 안녕!

너의 친구, 케이티가

| 문제 해설 |

1 윗글은 가족들과 마추픽추를 관광하면서 경험하고 느낀 것을 친구에게 알리는 편지글이다.

① 휘트니를 페루에 초대해서 멋진 여행을 함께하려고

② 마추픽추에서의 휴가를 자랑하려고

③ 마추픽추에서 얻은 느낌과 경험을 나누려고

④ 글쓴이의 가족이 한 일을 왕실에 보고하려고

⑤ 글쓴이가 다른 도시로 이사 가기 때문에 휘트니에게 작별인사를 하려고

2 ⓒ below → above

문맥상 마추픽추가 해발 3천 미터 되는 곳에 있다고 해야 자연스럽다.

3 Machu Picchu was built between 1460 and 1470, and abandoned by the Incans를 통해 잉카인들에 의해 만들어 졌음을 알 수 있다.

① 잉카인   ② 스페인 사람들

③ 잉카인과 스페인 사람들   ④ 한 미국인

⑤ 다양한 부족들

4 마추픽추가 해발 3천 미터나 되는 곳에 있고 수백 년 동안 잊혀졌다가 미국인에 의해 다시 발견된 것을 보면 도시와 가깝 지 않음을 알 수 있다.

① 페루에 있다.

② 도시들과 가깝다.

③ 1460년에서 1470년 사이에 건설되었다.

④ 도시에는 사원들이 있다.

⑤ 1911년에 한 미국인이 다시 발견했다.

| 영영풀이 |

1 local: 현지의

2 resident: 주민

3 royal: 왕족의

| 구문풀이 |

3행 I have to say that this is the most beautiful place I've ever seen.

「최상급 + 명사 + I've ever + p.p.」는 '내가 지금까지 한 것 중 가장 …한'이라는 뜻으로 쓰인다.

5행 Machu Picchu was built between 1460 and 1470, and abandoned by the Incans, the local residents, when the Spanish arrived in.

수동태는 「be동사 + 과거분사(p.p.)」형태로 나타낸다. 수동태 의 행위자는 「by + 목적격」을 써서 나타낸다. 즉 이 문장은 마 추픽추를 버린 것은 현지인이었던 잉카인이라는 의미이다.

8행 But when you arrive at the top, you will know it is worth climbing up that high.

시간이나 조건을 나타내는 부사절은 그 의미가 미래일지라도 현재시제를 사용한다. 즉 이 문장에서 arrive는 의미상 미래이 지만, 시간 부사절 when이 이끄는 절에서 쓰였으므로 현재시 제로 대체하였다.

10행 The royal estate itself is amazing, too.

itself는 The royal estate를 강조하는 재귀대명사이다. 강조 용법으로 쓰였으므로 생략될 수 있다.

Review Test
p.66

A

1 destroy 2 royal 3 float

4 resident 5 defeat

B

1 ② 2 ⑤ 3 ①

C

1 In fact, some volcanic eruptions did destroy entire forests!

2 It was one of boxing's most exciting fights.

3 You will know it is worth climbing up that high.

A

1 destroy: 파괴하다
2 royal: 왕족의
3 float: 떠다니다
4 resident: 주민
5 defeat: 패배시키다

B

1 regular: 정상의(= ordinary)
제 정상 근무시간은 오전 9시부터 오후 5시까지입니다.

2 consider: 여기다(= think)
학생들은 존스 씨가 훌륭한 선생님이라고 여긴다.

3 evidence: 증거(= proof)
그가 거짓말을 하고 있다는 강력한 증거가 있다.

C

1 강조의 do + 동사원형
2 one of the + 최상급 + 복수명사: 가장 ~한 것 중 하나
3 it is worth – ing: ~할 만한 가치가 있다

01 | SCHOOL LIFE
p.69

1 ⑤ 2 They had a big party.

3 joke 4 ②

나는 기숙학교에 다닌다. 첫 번째 해에 나는 조금 두려웠다. 집을 떠나 있는 건 그때가 처음이었다. 그러나 내가 학교에 도착했을 때, 모두 매우 친절했다. 첫째 날 우리는 성대한 파티를 했다. 교장 선생님은 우리 모두의 입학을 환영해 주셨다. 그는 매우 친절했다. 그가 몇 가지 재미있는 농담을 했고 우리는 모두 웃었다. 그래서 기분이 한결 나아짐을 느꼈다. 지금 나는 학교생활을 좋아한다. 나는 기숙사에서 생활하고 다른 세 친구와 함께 방을 나눠 쓴다. 선생님들은 매우 친절하고, 언제나 내 공부를 도와주신다. 나는 기숙학교를 즐기고 있다.

| 문제 해설 |

1 'I(나)'는 기숙학교에 다니는데 처음에는 집을 떠나 있어야 해서 걱정스러워 했지만 지금은 학교생활을 즐기고 있다고 했으므로 ⑤가 적절하다.

① 행복한 → 두려운 ② 즐거운 → 걱정되는

③ 슬픈 → 즐거운 ④ 두려운 → 화난

⑤ 걱정되는 → 행복한

2 Q: 학생들은 기숙학교에서 첫째 날에 무엇을 했는가?
A: 성대한 파티를 했다. (They had a big party.)

3 다른 사람들을 웃기기 위해서 하는 말, 특히 재미있는 이야기는 영어로 joke(농담)이라고 한다.

4 make는 사역동사이다. 사역동사는 목적격 보어로 동사원형을 취한다. make 외에도 have, let 등이 사역동사이다.

| 영영풀이 |

1 attend: 참석하다
2 welcome: 환영하다
3 share: 나누다

| 구문풀이 |

1행 In the first year, I was kind of scared.
kind of는 '약간', '조금'이라는 뜻이다.

3행 On the first day, we had a big party.
시간의 전치사 on은 날짜, 요일, 특정한 날을 나타낸다.

7행 I'm living in the dormitory, and (I'm) sharing a room with three other friends.
living과 sharing이 접속사 and로 연결되어 병렬구조를 이루고 있다. sharing 앞에는 I'm이 생략되어 있다.

8행 The teachers are very kind, and they always

help me *with* my studies.
they는 The teachers를 가리키는 대명사이다. 「help + 목적어 + with」는 '~와 관련해서 …를 돕다'라는 뜻이다.

come to mind는 '생각나다', '떠오르다'라는 뜻이다.

02 | SPORTS　　　　　　　　　p.71

1 ④　　　　**2** ①　　　　**3** ②
4 전쟁에 대비한 훈련을 하기 위해서

캐나다하면 어떤 스포츠가 떠오르는가? 물론 스키일 것이다. 아이스하키도 떠오를 것이다! 라크로스는 어떤가? 라크로스는 사실 캐나다의 국기(나라를 대표하는 스포츠 종목)이다. 라크로스 선수들은 '크로스'라고 불리는 특수한 스틱을 사용한다. 스틱 끝에는 바구니가 달렸다. 그들은 그것을 사용하여 딱딱한 공을 앞뒤로 패스한다. 경기의 목표는 공을 상대편의 골대에 넣는 것이다. 축구에서처럼 골키퍼만이 공을 손으로 잡을 수 있다. 라크로스는 매우 거친 스포츠이다. 사실, 북아메리카 원주민들은 전쟁에 대비한 훈련을 하기 위해 라크로스를 만들었다.

| 문제 해설 |

1 선수들이 '그것'을 사용하여 공을 앞뒤로 패스한다고 했으므로 it은 the crosse를 가리킨다.
　① 다른 팀의 골대　② 캐나다　③ 라크로스
　④ 크로스　⑤ 딱딱한 공

2 다른 팀의 골대에 공을 집어넣는 것이 이 경기의 목표(the goal of the game)이다.
　① 경기의 목적　② 경기의 이름　③ 경기의 기원
　④ 경기의 심판　⑤ 경기의 방법

3 마지막 문장에 북미 원주민들이 전쟁을 대비한 훈련을 하기 위해서 라크로스를 발명했다는 내용을 보아, 최근에 생긴 스포츠가 아니라는 것을 알 수 있다.

4 In fact, North American natives invented lacrosse to train for war를 통해서 '전쟁에 대비한 훈련을 하기 위해서' 라크로스를 발명했다는 것을 알 수 있다.

| 영영풀이 |

1 tough: 거친
2 native: 원주민
3 invent: 개발하다

| 구문풀이 |

1행　What sports <u>come to mind</u> when you think of Canada?

4행　Players use a special stick <u>called</u> a "crosse."
called는 '~라고 불리는'이라는 뜻이다.

6행　They pass a hard ball *back and forth* <u>with</u> it.
back and forth는 '앞뒤로'라는 뜻이다. 전치사 with는 도구의 앞에 쓰이면 수단의 의미를 가져 '~을 사용하여'라는 뜻으로 쓰인다. it은 앞에서 설명한 crosse이다.

7행　The goal of the game is <u>to get</u> the ball into the other team's net.
to get은 to부정사의 명사적 용법으로 문장에서 보어로 쓰였다. to부정사의 명사적 용법은 '~하는 것', '~하기'라고 해석한다.

03 | ART　　　　　　　　　　p.73

1 writing or drawings done on the walls of buildings without permission
2 ⑤　　　　　　**3** 상품의 디자인, 상품 광고
4 ①

그라피티는 허락 없이 건물 벽에 그려진 글이나 그림이다. 경찰은 흔히 그라피티로 공공 재산에 해를 끼친 사람들을 체포한다. 어떤 사람들은 그라피티가 예술의 한 형태라고 믿고, 또 다른 사람들은 그저 공공 기물 파손죄라고 믿는다. 그라피티는 전 세계 모든 도시에서 발견될 수 있다! 그라피티는 대개 매우 화려하며, 디자인을 구상하는 데 많은 노력이 필요하다. 시간이 지나면서 그라피티는 점점 더 일반 대중에게 예술의 한 형태로 받아들여지게 되었다. 미국에서는 많은 그라피티 예술가들이 스케이트보드, 옷, 신발을 디자인하는 데 참여한다. IBM과 SONY 같은 대기업 조차 자사의 상품을 광고하는 데 그라피티를 사용해왔다. 미술관과 박물관은 그라피티를 예술작품으로 전시하기 시작했다.

| 문제 해설 |

1 그라피티는 허락 없이 건물 벽에 그려진 글이나 그림이다.

2 윗글의 밑줄 친 as는 '~함에 따라', '~할수록'이라는 의미로 비례를 나타내는 접속사이다. ① '같은 정도로', '마찬가지로'라는 뜻의 부사, ② '~로서'라는 뜻으로 자격·역할을 나타내는 전치사, ③ '~ 때문에'라는 뜻으로 이유를 나타나는 접속사, ④ '~대로', '~와 같이'라는 뜻의 접속사, ⑤ '~함에 따라', '~할수록'이라는 의미로 비례를 나타내는 접속사이다.

① 학교에서 칼만큼 키가 큰 사람은 없다.

② 모니카는 병원에서 의사로 일한다.

③ 치통이 심했기 때문에 나는 치과에 갔다.

④ 네가 아는 것과 같이, 영화는 10분 후에 시작한다.

⑤ 더 부유해질수록, 그는 더 많은 돈을 원했다.

3 많은 그라피티 예술가들이 스케이트보드, 옷, 신발을 디자인 하는 데 참여하고, IBM, SONY 같은 기업들이 그라피티를 자 사의 상품을 광고하는 데 사용한다고 언급하고 있다.

4 그라피티는 시간이 지나면서 일반 대중에게 예술의 한 형태로 받아들여지게 되었으며, 미술관과 박물관에서도 그라피티를 전시하기 시작했다는 내용으로 빈칸에 들어갈 말로 artwork 가 가장 적절하다.

① 예술 작품　　　　② 공공 기물 파손죄

③ 마케팅　　　　　④ 메시지

⑤ 상품

| 영영풀이 |

1 damage: 피해를 주다

2 property: 재산

3 display: 전시하다

| 구문풀이 |

1행　Graffiti is writing or drawings done on the walls of buildings without permission.
이 문장은 원래 Graffiti is writing or drawings done that[which] is done on the walls of buildings without permission에서 「주격 관계대명사+be동사」가 생략되어 쓰 였다. 즉 수동태 형식으로 쓰였던 형용사절이 과거분사구로 변해서 선행사를 수식하고 있는 것이다.

5행　… it takes a lot of effort to plan the design.
「it takes+명사+to부정사」는 '~하는 데 …가 필요하다'라는 뜻으로 쓰인다.

5행　As time passed, it became more accepted as an art form by the general public.
수동태는 주로 「be동사+과거분사(p.p)+by 행위자」 형태 로 쓰이지만 이 문장에서는 be동사 대신 become이 쓰였다. become도 be동사와 함께 2형식 동사로 쓰인다. as an art form은 '예술의 한 형태로서'라는 의미를 더하고 있다.

Review Test　　p.74

A

1 property　　2 share　　3 damage

4 welcome　　5 attend

B

1 ①　　2 ④　　3 ④

C

1 He told several funny jokes, and we all laughed.

2 Like in soccer, only goalkeepers can touch the ball with their hands.

3 Graffiti can be found in almost every city around the world.

A

1 property: 재산

2 share: 나누다

3 damage: 피해를 주다

4 welcome: 환영하다

5 attend: 참석하다

B

1 scared: 겁먹은(= frightened)
누군가 비명을 지르는 소리를 들었을 때, 나는 겁이 났다.

2 actually: 실제로(= in fact)
사실, 내가 그것을 하지 않았다. 케이트가 했다.

3 take part in: 참가하다(= join)
그는 제인에게 내일 회의에 참석해달라고 요청했다.

C

1 several + 복수명사: 몇몇의 ~

2 like: ~처럼, ~같이

3 조동사 + be + p.p.: 조동사가 있는 수동태

01 | TRAVEL   p.77

| 1 ③ | 2 and | 3 ① | 4 ⑤ |

유람선 여행을 할 기회를 가진 적이 있는가?

(B)

그것은 매우 흥미진진할 것이다! 유람선은 마치 호텔과도 같다. 유람선은 수영장, 식당, 그리고 헬스클럽 같은 모든 종류의 시설을 제공한다.

(C)

또한 저녁에는 사람들을 즐겁게 해주는 라이브 코미디 쇼와 음악회가 열린다. 훌륭한 요리사들이 손님들을 위해 근사한 식사를 만들 준비가 되어 있다. 게다가 많은 유람선이 이국적인 섬에 들른다.

(A)

이런 섬에서는 스노클링, 윈드서핑, 배타기, 그리고 다른 재미있는 활동을 해볼 수 있다. 유람선 여행은 굉장한 경험이 될 것이다.

| 문제 해설 |

1 (B)의 It은 주어진 문장에서 설명한 '유람선을 타고 여행하는 것'이다. (C)는 유람선에서 제공하는 서비스에 대한 추가적인 (also) 설명이고, (A)의 these islands는 (C)의 마지막 문장에 나온 exotic islands이다.

2 여러 단어를 나열할 때는 쉼표(,)로 연결하고 마지막 단어 앞에는 등위접속사 and를 쓴다.

3 sort는 '종류'라는 뜻이므로 kind와 그 의미가 같다.

　① 종류　　　　② 가격　　　　③ 것, 물건
　④ 곳, 장소　　　⑤ 상점, 가게

4 본문에서 like는 '~처럼', '~와 같이'라는 뜻의 전치사로 쓰였다.

　① 나는 그의 새 책을 좋아한다. 〈동사〉
　② 우리는 외국으로 공부하러 간다는 아이디어가 마음에 든다. 〈동사〉
　③ 시카고에서 사는 것은 어떠니? 〈동사〉
　④ 마실 것 좀 드릴까요? 〈동사〉
　⑤ 초콜릿 같은 단 음식은 치아에 나쁘다. 〈전치사〉

| 영영풀이 |

1 offer: 제공하다

2 performance: 공연

3 exotic: 이국적인

| 구문풀이 |

1행　Have you ever <u>had</u> *a chance* to travel on a cruise ship?
「have[has] + 과거분사」는 현재완료시제로, 과거에 발생한 일이 현재까지 영향을 미치거나 계속되고 있을 때 쓴다. 이 문장

에서는 '경험'을 나타낸다. to travel은 a chance를 수식하는 to부정사의 형용사적 용법으로 쓰였고, a chance to travel은 '여행할 기회'라고 해석한다.

4행　<u>A trip</u> *on a cruise ship* <u>can be</u> a wonderful experience.
주어는 A trip이고 동사는 can be이다. on a cruise ship은 A trip을 수식하는 전치사구이다.

6행　They offer <u>all sorts of</u> services <u>like</u> swimming pools, restaurants, and fitness centers.
all sorts of는 '모든 종류의'라는 뜻으로 all kinds of로 바꾸어 쓸 수 있다. like는 '~처럼', '~와 같은'이라는 뜻의 전치사이다.

9행　They also have live comedy and music performances <u>to entertain</u> people in the evenings.
'~하기 위해서'라는 뜻으로 목적을 나타내는 to부정사의 부사적 용법이다. to는 in order to, so as to로 바꾸어 쓸 수 있다.

11행　Great cooks are <u>ready to make</u> wonderful meals for the guests.
「be ready for + 명사」, 「be ready to부정사」는 '~할 준비가 되다'라는 뜻이다.

12행　<u>In addition</u>, many of the ships stop at exotic islands.
in addition은 besides와 같은 뜻으로 '게다가'라는 뜻이다. 앞에서 나온 이야기에 덧붙여서 추가적인 이야기를 할 때 쓴다.

02 | MODERN LIFE   p.79

| 1 ⑤ | 2 ① |

3 to take a call when you are in a conversation with somebody

4 ③

우리는 모두 휴대 전화를 사용한다. 휴대 전화는 오늘날 현대 세계에서 필수품이다. 그러나 공공장소에서 휴대 전화를 사용할 때는 언제나 예의를 지켜야 한다. 첫째, 너무 큰 소리로 이야기하지 마라. 전화 기술은 전보다 훨씬 더 좋아졌다. 전화기에 대고 소리를 지를 필요가 없다! 둘째, 영화관에 가면 전화기를 꺼라. 당신의 전화기가 울리면 사람들을 방해하게 될 것이다. 셋째, 운전을 하는 동안에는 휴대 전화를 사용하지 마라. 그것은 위험하고 교통사고를 유발할 수 있다. 마지막으로, 누군가와 대화하는 도중에 휴대 전화를 받는 것은 무례한 일이다. 대신에, 음성메일 시스템이 메시지를 받게 하고, 더 적당한 시간에 전화하라.

1 주어진 문장이 운전 중에 휴대 전화를 사용하면 안 되는 이유에 해당하므로 (E)가 적절하다.

2 문맥상 '운전을 하는 동안'이라는 뜻이 되어야 하므로 '~하는 동안'이라는 의미의 시간 접속사 while이 적절하다.

  ① ~하는 동안(시간 접속사)

  ② ~하지 않는 한(조건 접속사)

  ③ ~ 때문에(이유 접속사)

  ④ ~할 때 까지(시간 접속사)

  ⑤ 비록 ~일지라도(양보 접속사)

3 it은 to take a call when you are in a conversation with somebody를 받는 가주어이다.

4 공공장소에서 휴대 전화를 사용할 때 예의를 지켜야 하지만, 휴대 전화를 진동으로 하라는 언급은 없다.

| 영영풀이 |

1 necessity: 필수품

2 disturb: 방해하다

3 rude: 무례한

| 구문풀이 |

1행　We **all** use cellular phones.
이 문장에서 all은 부사로 쓰였으며 주어를 가리킨다. 주어를 지칭하는 부사 all은 be동사, 조동사 뒤, 일반동사 앞에 놓인다. 이 문장은 All of us use cellular phones라고 쓸 수 있다.

4행　Phone technology is much better than it <u>used to be</u>.
used to는 과거의 습관적 행동이나 상태를 나타내는 조동사이다. 즉 이 문장은 '휴대폰 기술은 이전의 수준보다 더 나아졌다'는 뜻을 가진다.

5행　You <u>don't need to yell</u> into your phone!
need는 to부정사를 취한다. 「don't need to부정사」는 '~할 필요가 없다'는 뜻을 나타내며, 「need not + 동사원형」, 「don't have to + 동사원형」으로 바꿔 쓸 수 있다.

7행　You will disturb people <u>if your phone rings</u>.
조건절의 시제는 의미가 미래일지라도 현재시제를 쓰며, 주절만 미래시제를 쓴다.

8행　Finally, **it**'s rude <u>to take a call when you are in a conversation with somebody</u>.
이 문장에서 it은 가주어, to take a call이하는 진주어이다.

9행　Instead, <u>let</u> your voicemail system <u>take</u> a message, and <u>call</u> back at a more appropriate time.
let은 원형부정사를 목적격 보어로 취한다. 여기서 목적어는 your voicemail system, 목적격 보어는 take a message이다. call back이하는 let의 목적격 보어가 아니라, let과 대등하게 연결된 본동사임에 유의하자.

---

  1 ③　　　　**2** ③　　　　**3** ②

  4 freedom, creativity, American identity

재즈 음악은 20세기 초 미국 남부에서 시작되었다. 그 음악은 아프리카와 유럽 음악을 바탕으로 했으며, 찬송가와 블루스 같은 몇몇 종류의 음악의 영향을 받고 있다. 재즈는 1920년대에 미국 전역으로 퍼지기 시작했으며, 뉴욕과 시카고 같은 대도시에서 유행을 끌게 되었다. 재즈는 사람들에게 있어 하나의 단순한 음악 장르 이상이었다. (많은 종류의 악기들이 재즈 음악가들에 의해 사용된다.) 그것은 미국 문화에 영향을 주었다. 또한, 다른 인종과 문화의 사람들을 통합하는 데 도움을 주었다. 그 음악은 자유, 창조, 그리고 미국의 정체성을 강하게 나타냈다. 오늘날 재즈는 전 세계로 퍼져 있고, 세계에서 가장 인기 있는 음악 종류 중 하나이다.

| 문제 해설 |

1 재즈 음악의 시작과 그 영향에 대한 글이다.

  ① 유명한 재즈 음악가

  ② 다양한 종류의 재즈 음악

  ③ 재즈 음악의 탄생과 그 영향

  ④ 재즈 음악을 즐기는 최고의 방법

  ⑤ 아프리카와 유럽의 재즈 음악

2 재즈 음악의 시작과 그 영향에 대한 내용으로 악기에 대한 내용은 글의 흐름과 관계없다.

3 재즈는 찬송가와 블루스 같은 몇몇 종류의 음악의 영향을 받았다.

4 11~12행에서 재즈는 자유, 창의성, 미국의 정체성을 나타냄을 알 수 있다.

| 영영풀이 |

1 unite: 결합하다

2 race: 인종

3 spread: 퍼지다, 전파되다

| 구문풀이 |

2행　The music <u>was based on</u> both African and European music, …

base는 '~에 기반을 두다'라는 뜻의 동사로 base A on B(A 를 B에 근거를 두다)처럼 쓰이는데 수동태 형식으로 바꾸면 A is based on B와 같이 쓰일 수 있다.

4행 … it has been influenced by several styles of music like hymns and blues.
수동태는 「be동사 + 과거분사(p.p.)」형태로 쓰이는데, 수동 태의 시제는 be동사를 변형시켜서 나타낸다. 즉 단순과거는 was/were를 써서, 완료시제는 have[has, had] been 형태를 쓴다.

10행 It also helped to unite people from different races and cultures.
help는 want처럼 뒤에 to부정사가 올 수 있다. help는 to가 생략된 원형부사도 올 수 있음에 유의하자.

Review Test   p.82

A
1 race   2 rude   3 unite
4 necessity 5 offer

B
1 ③   2 ⑤   3 ②

C
1 Have you ever had a chance to travel on a cruise ship?
2 It's rude to take a call when you are in a conversation with somebody.
3 The music was based on both African and European music.

A
1 race: 인종
2 rude: 무례한
3 unite: 결합하다
4 necessity: 필수품
5 offer: 제공하다

B
1 wonderful: 훌륭한 (= great)
   홍콩의 야경은 훌륭하다.
2 disturb: 방해하다 (= interrupt)
   방해해서 죄송합니다만, 질문 하나만 할 수 있을까요?
3 influence: 영향을 주다 (= affect)
   그의 연설은 내 결정에 영향을 주었다.

C
1 have you ever + 과거분사: 현재완료 경험
2 it: 가주어, to take a call …: 진주어
3 both A and B: A와 B 둘 다

01 | NATURAL DISASTER   p.85

1 ②   2 ④
3 a huge amount of damage   4 ③

지진은 위험하다. 그것은 종종 건물을 파괴하고 많은 사람을 죽인다.

(A)
1960년에 한 지진은 칠레 남부에 엄청난 피해를 주었다. 그것은 리히터 규모 9.5를 기록했다. 그것은 지금까지도 가장 강력한 지진이다.

(C)
칠레의 발디비아(Valdivia)와 푸에르토몬트(Puerto Montt) 마을은 그 재난 동안 심각한 피해를 보았다. 왜냐하면, 그 지역은 지진에서 가장 가까운 곳에 있었기 때문이다. 그러나 그것이 집과 건물만 파괴한 것은 아니었다.

(B)
산사태와 근처 산에서 흘러내린 바위는 이 지역의 풍경을 완전히 바꿔 놓았다. 지진 후에 이 지역의 지반 일부는 바다로 가라앉았고, 바닷물로 가득 차게 되었다.

| 문제 해설 |

1 (A)에서 1960년에 칠레에서 발생한 지진에 대한 설명을 하고, (C)에서 지진의 피해에 대해서 설명을 하고 있다. 마지막 문장에서 이 지진이 집과 건물만 파괴한 것이 아니라고 한 후에 (B)에서 더 큰 피해에 대해 이야기하고있다.

2 1960년에 칠레에서 발생한 강력한 지진에 대한 내용이다.
   ① 리히터 지진계는 무엇인가?
   ② 가장 파괴적인 지진해일
   ③ 발디비아: 칠레의 아름다운 마을
   ④ 역사상 가장 강력한 지진
   ⑤ 산에서 떨어지는 위험한 바위들

3 a huge amount of는 '엄청난 양의', '막대한 양의'라는 뜻이다.

4 빈칸 뒤의 내용(지진에서 가장 가까움)이 빈칸 앞의 내용(심각한 피해를 봄)의 원인이다. 따라서 이유를 나타내는 접속사 because가 들어가는 것이 가장 적절하다.

① 그래서 ② 그러나 ③ ~때문에
④ ~이지만 ⑤ 그리고

| 영영풀이 |

1 sink: 가라앉다

2 suffer: 고통받다

3 disaster: 재난

| 구문풀이 |

1행 They often destroy buildings and kill many people.
often은 빈도부사로 '자주', '종종'이라는 뜻이다. 빈도부사의 위치는 be동사와 조동사의 뒤, 일반동사의 앞이다.

5행 It is the most powerful earthquake to date.
powerful은 3음절 이상인 형용사이므로 most를 써서 최상급을 나타낸다. to date는 '지금까지'라는 뜻이다.

8행 After the earthquake, part of the ground around the area sank into the ocean, *and* was full of seawater.
주어는 part of the ground이다. 동사는 sank와 was이고 등위접속사 and로 연결되어 병렬구조를 이루고 있다.

11행 *The towns* of *Valdivia and Puerto Montt* in Chile suffered major damage during the disaster …
전치사 of는 동격 관계를 나타내서 '~(이)라고 하는'으로 해석한다. 소유를 나타내는 전치사 of와 혼동하지 않도록 한다.

---

02 | FOOD   p.87

1 ②   **2** ②   **3** ④

4 the main source of food for the Irish people

아일랜드 감자 대기근은 아일랜드 사람들에게 큰 고난을 유발했다. 기근은 1845년에 나타나기 시작했고, 1852년까지 이어졌다. 기근의 주요 원인은 감자 추수의 실패였다. '감자 마름병'으로 알려진 감자 질병이 농작물을 감염시켰다. 이것이 감자를 썩게 했다. 감자는 아일랜드 사람들의 주식이었다. 추수 실패는 전국에 걸쳐 대규모의 기아를 유발했다. 약 100만 명가량의 사람들이 기아와 질병으로 사망했고, 100만 명은 고향을 떠나 영국, 캐나다, 미국으로 향했다. 그 결과, 이 기간에 아일랜드의 인구는 거의 25%가 감소했다.

| 문제 해설 |

1 아일랜드 감자 대기근의 발생 시기, 원인, 결과에 대한 글이다.
① 감자 질병 목록
② 아일랜드 감자 기근
③ 감자 기근을 극복하는 방법
④ 감자 기근의 주요 원인
⑤ 감자: 아일랜드의 주식

2 begin은 목적어로 to부정사와 동명사를 모두 취하는 동사로, ⓑ appear가 to appear나 appearing이 되어야 한다.

3 감자 대기근으로 많은 사람들이 아일랜드로 이주한 것이 아니라, 아일랜드 사람들이 영국, 캐나다, 미국으로 이주했다.

4 감자는 아일랜드인의 주요 식량이었다.

| 영영풀이 |

1 famine: 기근

2 infect: 감염시키다

3 period: 기간

| 구문풀이 |

5행 A potato disease known as "potato blight" infected the crops.
원래 주격 관계대명사절에서 「주격 관계대명사＋be동사」가 생략된 형태로 앞의 A potato disease를 꾸미고 있다.

6행 This caused the potatoes to rot.
cause는 목적격 보어로 to부정사를 취하는 5형식 동사이다.

8행 About one million people died of starvation and diseases, and another one million left their homeland for Great Britain, Canada, and the United States.
another는 '하나 더'의 의미로 단수 명사 앞에 쓰이기도 하지만 수량 형용사 앞에서 '(앞에서 언급한 것 외에) 추가적인'의 뜻으로 쓰이기도 한다. 여기서 another one million은 문장 앞부분에서 언급한 '아사한 100만 명의 사람들' 외에, 고향을 떠난 또 다른 100만 명의 아일랜드인을 언급하기 위해 사용되었다.

10행 As a result, the Irish population was reduced by almost twenty-five percent during this period.
이 문장은 수동태 형식이 사용되었으나, 전치사 by는 행위자를 나타내는 것이 아니라 양·정도를 나타내는 전치사라는 점에 유의해야 한다. 즉 '25퍼센트만큼' 인구가 줄어들었다는 변화의 폭을 나타낸다.

03 | MODERN LIFE p.89

1 ②   **2** ③

3 ① It could take a couple of days to receive your shipment.

  ② It can be very difficult to return a product if there is a problem.

온라인 쇼핑은 매우 인기 있어졌다. 왜 소비자들이 온라인에서 쇼핑하기를 더 좋아한다고 생각하는가? 무엇보다도, 그것은 매우 편리하다. 온라인 매장은 하루 24시간 열려 있다. 온라인에서 아주 다양한 상품을 찾을 수 있다. 예를 들어, 온라인 상점에서 옷, 책, 그리고 심지어는 식료품을 살 수도 있다. 가격을 비교하기 매우 쉽고, 상품을 고르는 데 도움을 주는 많은 상품평도 온라인상에서 찾을 수 있다. 그러나 몇 가지 단점도 있다. 주문한 상품을 받는 데 여러 날이 걸리기도 한다. 게다가, 문제가 있으면 상품을 반품하기 매우 어려울 수도 있다.

| 문제 해설 |

1 소비자들이 온라인 쇼핑을 선호하는 이유로 온라인 쇼핑의 장점을 설명하고, 글의 뒷부분에서 온라인 쇼핑의 단점을 언급하고 있으므로 온라인 쇼핑의 장단점이 주제로 적절하다.

2 밑줄 뒷부분에서 온라인으로 구입할 수 있는 다양한 물건의 예를 들고 있기 때문에 ③이 가장 적절하다.

  ① 많은 시간과 돈을 절약할 수 있다

  ② 가장 저렴한 가격으로 제품을 살 수 있다

  ③ 온라인으로 아주 다양한 상품을 찾을 수 있다

  ④ 사려고 하는 제품에 대해 정보를 얻을 수 있다

  ⑤ 일정 금액 이상 구매하면 무료로 배송된다

3 온라인 쇼핑의 단점은 늦은 배송, 반품의 어려움이다.

| 영영풀이 |

1 customer: 손님, 고객

2 convenient: 편리한

3 drawback: 단점

| 구문풀이 |

2행   Why do you think customers prefer to shop online?

이 문장은 Why do customers prefer to shop online이 간접의문문 형태로 Do you think와 결합된 것이다. 하지만 think, imagine 등의 동사가 쓰일 때는 Do you think why customer prefer to shop online.처럼 쓰지 않고 의문사를 문장 맨 앞에 놓아야 한다는 것에 유의하자.

5행   For instance, you can purchase clothes, books,

and even groceries from online stores.

even은 부사인데, 명사를 강조하여 '심지어 ~조차도'라는 의미를 전한다.

7행   … you can find lots of product reviews online to help you choose a product.

to help이하는 product reviews를 수식하는 형용사적 용법으로 쓰인 to부정사이다.

9행   It could take a couple of days to receive your shipment.

「it takes 시간 to부정사」는 '~하는 데 …만큼의 시간이 걸리다'는 의미로 사용되는 관용표현이다.

Review Test p.90

A

1 period   2 sink   3 infect

4 suffer   5 customer

B

1 ⑤   2 ②   3 ①

C

1 Earthquakes often destroy buildings and kill many people.

2 The famine began to appear in 1845 and lasted until 1852.

3 Why do you think customers prefer to shop online?

A

1 period: 기간

2 sink: 가라앉다

3 infect: 감염시키다

4 suffer: (고통을) 겪다

5 customer: 손님, 고객

B

1 damage: 피해(= harm)
  허리케인은 플로리다주에 피해를 입혔다.

2 cause: 이유, 원인(= reason)
  아무도 비행기 추락의 정확한 원인을 알지 못했다.

3 drawback: 단점(= disadvantage)
  비행기 여행의 한 가지 단점은 비싼 요금이다.

C

1 빈도부사의 어순: be동사와 조동사의 뒤, 일반동사 앞

2 begin + to부정사/동명사: ~하기 시작하다

3 생각이나 추측을 나타내는 동사(e.g. think)가 간접의문문에 쓰일 때: 의문사는 문장 앞으로 나감

Unit 01
p.92

A

1 patients
2 spit
3 diseases
4 example
5 mood

B ④

C

Unit 01-01

good luck, Superstition, avoiding, the number 13, more examples, Spit into, three times, how many fish

Unit 01-03

make you feel good, in a bad mood, to cheer up, provide comfort, reduce loneliness

Unit 02
p.94

A

1 Make sure
2 absorbs
3 generally
4 unforgettable
5 Imagine

B ③

C

Unit 02-01

to take a trip, remember a few things, enough water, per day, to protect your face, gets very cold, good hiking boots, blisters

Unit 02-03

prom, get together, wear dresses, on their wrist, usually rent, unforgettable, look forward to, similar to

Unit 03
p.96

A

1 organized
2 community
3 influenced
4 create
5 contains

B ④

C

Unit 03-02

African American, genres, rhythmic beats, very popular, has influenced, even modern dance

Unit 03-03

help boost, fish, at a high level, learning ability, healthy fats, reduce stress, your eating habits

Unit 04
p.98

A

1 last
2 no longer
3 honored
4 uncooked
5 origin

B ②

C

Unit 04-01

doesn't mean, researchers and scientists, perform, lasts, no longer shines, very difficult, except for

Unit 04-02

the world's highest, flew over, to honor, taller than, Not surprisingly, tourist attractions, the most adventurous

Unit 05
p.100

A

1 deserves
2 ethical
3 appeared
4 attracts
5 formal

B ③

C

Unit 05-01

In truth, traditional, accessories, to spot, check pattern, unique, has changed, on formal occasions

Unit 05-03

ethical professionals, highly skilled, range in age, network's safety, break into, fix them, on the other hand, showing off

Unit 06
p.102

A

1 hosted   2 warned
3 poisonous   4 huge
5 important

B ②

C

Unit 06-01

cannot fly, temperate, swimming in the ocean, especially, special layer, cold water

Unit 06-02

come to mind, concrete jungle, in the middle, walking paths, ice skating rinks, favorite attraction, chance to see

Unit 07
p.104

A

1 entire   2 consider
3 stung   4 abandoned
5 appeared

B ⑤

C

Unit 07-02

floats, stings, of all time, three times, nicknamed, defeated, Few people, tired, most exciting fights

Unit 07-03

spending a day, I've ever seen, lost city, abandoned, disappeared from memory, above sea level, worth, The view, breathtaking, water sewage system, civilization

Unit 08
p.106

A

1 scared   2 back and forth
3 definitely   4 public
5 advertise

B ②

C

Unit 08-01

attend, away from home, very friendly, welcomed us all, we all laughed, the dormitory, with my studies

Unit 08-02

think of, the national sport, called, on top, back and forth, the other team's net, with their hands, natives

Unit 09
p.108

A

1 polite   2 experience
3 cultures   4 entertained
5 popular

B ④

C

Unit 09-01

Have you ever had, a cruise ship, fitness centers, entertain people, wonderful meals, exotic, fun activities, wonderful experience

Unit 09-03

originated, based on, has been influenced, became popular, made an impact, unite people, freedom, creativity, all over the world

Unit 10
p.110

A

1 landscape   2 was full of
3 rotting   4 failure
5 prefer

B ④

C

Unit 10-01

Earthquakes, destroy, measured, to date, suffered, closest to, completely changed, sank into

Unit 10-03

Why do you think, convenient, huge selection, even groceries, compare prices, product reviews, some drawbacks, your shipment, return

MEMO

READING
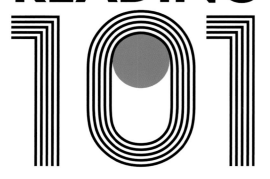

 Diverse & Fun
여행, 과학, 역사, 인물, 사회, 환경, IT 등의
다양하고 흥미로운 이야기

 Scholastic
실력 향상은 물론 각종 실전 대비를 위한
독해유형별 5지선다형 문제풀이

 Open-ended
내신 대비는 물론, 영문 독해의 이해력 및
쓰기 실력을 높이는
서술형 문제풀이

 Authentic
영어 대 영어로 단어의 의미를 정확히 파악하는
영영풀이 어휘 문제

 Comprehensive
독해의 기본인 어휘력을 향상시키고
영작문을 최종 점검하는
리뷰 테스트

 Native
원어민의 발음으로 생생하게 들을 수 있는
지문 녹음

 Logical
글의 흐름을 논리적으로 분석하기 위한
글의 순서 및 문장 삽입 문제
추가 제공 워크북

 Available
듣기 실력 향상은 물론 독해를 마스터할 수 있는
유용한 받아쓰기 제공 워크북

 Detailed
구문 풀이를 통해 핵심 문법까지 학습할 수 있는
상세한 해설지

 넥서스에듀가 제공하는
편리한 공부시스템

MP3 듣기 ─ 어휘 리스트 ─ 어휘 테스트지 ─ 모바일 단어장 ─ VOCA TEST

MP3 듣기
모바일 단어장
VOCA TEST

www.nexusbook.com

	초1	초2	초3	초4	초5	초6	중1	중2	중3	고1	고2	고3

Writing

- 공감 영문법+쓰기 1~2
- 도전만점 중등내신 서술형 1~4
- 영어일기 영작패턴 1-A, B · 2-A, B
- Smart Writing 1~2

Reading

- Reading 101 1~3
- Reading 공감 1~3
- This Is Reading Starter 1~3
- This Is Reading 전면 개정판 1~4
- This Is Reading 1-1 ~ 3-2 (각 2권; 총 6권)
- 원서 술술 읽는 Smart Reading Basic 1~2
- 원서 술술 읽는 Smart Reading 1~2
- [특급 단기 특강] 구문독해 · 독해유형

Listening

- Listening 공감 1~3
- The Listening 1~4
- After School Listening 1~3
- 도전! 만점 중학 영어듣기 모의고사 1~3
- 만점 적중 수능 듣기 모의고사 20회 · 35회

TEPS

- NEW TEPS 입문편 실전 250+ 청해 · 문법 · 독해
- NEW TEPS 기본편 실전 300+ 청해 · 문법 · 독해
- NEW TEPS 실력편 실전 400+ 청해 · 문법 · 독해
- NEW TEPS 마스터편 실전 500+ 청해 · 문법 · 독해

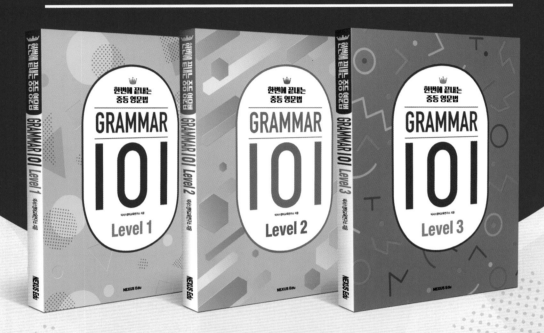